Collection dirigée par
Stéphanie Durand

Lauréat Prix jeunesse des libraires 2016,
catégorie Québec, volet 12-17 ans

Finaliste Prix littéraires du Gouverneur Général 2016
catégorie Littérature jeunesse — texte

Finaliste Prix Alvine-Bélisle 2016

Finaliste Prix des bibliothèques de Montréal 2016

Finaliste Prix Cécile-Gagnon 2016

Finaliste Prix Adolecteurs de Montréal 2016-2017

Projet dirigé par Stéphanie Durand, éditrice

Conception graphique : Nathalie Caron
Mise en pages : Julie Villemaire
Révision linguistique : Isabelle Pauzé et Chantale Landry
En couverture : © Dominique Nadon-Fortin, *Sweet Dreams*, œuvre mixte,
   24 x 20 pouces

Québec Amérique
7240, rue Saint-Hubert
Montréal (Québec) Canada H2R 2N1
Téléphone : 514 499-3000, télécopieur : 514 499-3010

Nous reconnaissons l'aide financière du gouvernement du Canada.

Nous remercions le Conseil des arts du Canada de son soutien.
We acknowledge the support of the Canada Council for the Arts.

Nous tenons également à remercier la SODEC pour son appui financier.
Gouvernement du Québec – Programme de crédit d'impôt pour l'édition de livres – Gestion SODEC.

Catalogage avant publication de Bibliothèque et Archives nationales du Québec et Bibliothèque et Archives Canada

Dumoulin, Amélie
Fé M Fé
(Titan + ; 110)
Pour les jeunes.
ISBN 978-2-7644-2952-5 (Version imprimée)
ISBN 978-2-7644-2980-8 (PDF)
ISBN 978-2-7644-2981-5 (ePub)
I. Titre. II. Collection : Titan jeunesse ; 110.
PS8607.U49F4 2015   jC843'.6   C2015-940850-4
PS9607.U49F4 2015

Dépôt légal, Bibliothèque et Archives nationales du Québec, 2015
Dépôt légal, Bibliothèque et Archives du Canada, 2015

Réimpression : novembre 2019

Imprimé au Québec

AMÉLIE DUMOULIN

FÉ AIME FÉ

QuébecAmérique

À Francis,
l'idée derrière toutes les choses magiques.

PARTIE ROSE

J'ai souvent l'impression d'être venue au monde dans une sorte de cocon, fait avec des retailles de tissus, des bouts de laine, de l'amour, des plumes et des poils, de la poussière et beaucoup de chaos, dans un quartier de Montréal qui a longtemps été pour moi un royaume, le Mile-End. Il me semble que ma mère a toujours eu une aiguille et du fil attachés à son t-shirt ou enroulés dans ses cheveux, prête à coudre quelque chose. Mais chaque fois qu'elle me fabriquait une jolie petite robe, j'avais l'air d'un chou emballé, chaque fois qu'elle voulait m'enseigner l'art des aiguilles, quelqu'un était sérieusement blessé. Alors on m'a laissée pousser, à l'ombre des machines à coudre et des piles de coton, rayonne et polyester, en espérant qu'un jour je découvre ce que mon père appelle ma « vraie nature ».

C'est certain que mes parents devaient se croire vraiment *hot* de m'avoir appelée comme ça, Fé. Mais franchement, en tant que fille dodue et zéro gracieuse, j'ai pas toujours trouvé ça facile de vivre (depuis presque 15 ans) avec un nom qui fait penser, quand on l'entend, à une pitoune légère qui vole en pétant du brillant. Je sais pas…

En fait, aujourd'hui, si je cherche ce qui me définit vraiment, en ce moment, tout ce qui me vient en tête, c'est une équation simple mais non résolue :

— Fé, dans ton lunch, t'as des œufs pas cuits que tu mettras au micro-ondes genre une minute pour te faire, t'sais comme une sorte d'omelette, là ? Y'a aussi un pied de céleri et des réglisses.

— O. K. M'man, O. K… Élisabeth II ! Est pus dans toilette ? Je l'ai vue hier…

— Fé, ôte ton casque de lutteur quand tu me parles !

— Fé, s'ils t'écœurent à l'école parce que t'as pas encore ton kit de compas, dis-leur que ton papa fait dire que tu l'as, mais qu'il est resté dans le chariot élévateur de la *job* qui est barré parce que mon chum Denis s'en est servi en fin de semaine pour le mariage de sa fille et qu'il a gardé les clés et que, donc, tu devrais le ravoir demain… s'il pleut pas.

— P'pa, je pense pas que t'as le droit d'aller au travail en pyjama.

— Mon pyja… Hé, merde !

— Fé, une dernière chose. Je trouve de la salade partout dans l'appart, dans ma chambre, sur le plancher de la cuisine, j'ai failli me tuer en pilant dessus… Jean !!! C'est *weird*, on dirait que je viens d'entendre tes guitares tomber… toutes seules… dans ton bureau.

— Élisabeth II, bouge pas, j'arrive !!!

— Je te jure, Fé, si elle a poqué ma Stratocaster en forme d'éclair… c'est tartare de tortue pour tout l'monde à soir tabarn…

C'est pas de notre faute, c'est juste qu'on est pas doués pour le quotidien.

À l'école, j'ai une amie et un violoncelle.

Mon amie Lucie et moi, on est deux extra-terrestres parce qu'on a ni téléphone cellulaire ni autre gadget à piton. Quand on a besoin de se parler, on se rejoint à nos cases. C'est fou, mais ça marche assez bien. Elle me prête des BD, je lui refile les retailles de tissus de l'atelier de ma mère. Elle s'en sert pour créer des bijoux bizarres qu'elle est la seule à aimer. On partage souvent une boîte de Smarties au dîner pour dessert. On se ressemble.

Mon violoncelle, je le vois tous les jours dans le local de musique. On s'aime à la folie. J'aime le prendre, le serrer dans mes bras et caresser ses cordes. Il me le rend bien en ronronnant de plaisir. Je suis pas une virtuose, ça m'intéresse pas de le devenir, mais j'y consacre beaucoup de temps, essentiellement parce que c'est dans le local de musique que je me sens le mieux au monde. Je pousse la lourde porte, ça sent le bois et le papier, je vois mon gentil instrument qui m'attend sagement près de ma chaise, je crie « Babouche ! » et j'imagine qu'il me répond « Dora ! ».

Et on se fait un gros câlin.

Tous les deux jeudis, après l'école, je vais acheter du tissu avec ma mère. L'autobus 55 Saint-Laurent me laisse tout près de son atelier, puis on prend le camion de mon père pour ratisser les fabriques de tissus à la recherche de spécimens fluos, bizarres, intrigants ET pas chers. Ils deviendront des t-shirts psychédéliques que maman fabrique, vend par Internet et expédie à travers le monde, surtout au Japon, paradis des excentriques. Mes amis, à l'école, pensent que maman fait un travail génial, facile et très *glamour*. La vérité, c'est qu'elle passe ses journées dans l'ombre, recroquevillée devant la petite lumière d'une machine à coudre, d'un ordi ou d'une calculatrice, toujours inquiète de l'argent, toujours à deux doigts de tout laisser tomber. Dur, dur d'être son propre patron.

Mais un jeudi sur deux, c'est notre journée, la journée des achats. On met de la musique dans l'auto, on dévalise les entrepôts, on renifle les paillettes, les rubans et les plumes. Même aveugle, ma mère pourrait faire ses achats tellement elle connaît bien les tissus. Moi, j'apprends, à ses côtés. On s'est même inventé un petit concours: «Trouver le tissu le plus laid.» C'est souvent moi qui gagne, j'ai du flair pour le laid. Une fois la perle rare dénichée, on l'achète, puis maman la transforme en quelque chose d'extraordinaire. Toujours se rappeler que la première fois que les gens ont vu des Picasso, ils ont trouvé ça laid. Le laid d'aujourd'hui, c'est le beau de demain.

Notre dernier stop, c'est toujours rue De Gaspé parce que c'est près de notre atelier, et parce que maman fume une cigarette «en cachette» avec madame Nguyen, une Vietnamienne toute délicate qui vend des Spandex si incroyables qu'ils rendraient jalouse la Femme-Chat.

Pendant ce temps-là, je rôde parmi les tissus extensibles et les fils colorés, et je danse dans les longs corridors vides en passant mes mains sur le béton rugueux des murs, jusqu'à ce qu'elles brûlent. Ces corridors sont froids, vides, on entend juste le vrombissement étouffé des machines à coudre. Je crie mon nom, puis j'écoute le son rebondir sur les murs :

« Fé… é… é… é… é… é ! »

Ou je cours très vite, et j'ouvre les bras au dernier moment, comme pour m'envoler. Ça marche pas, mais je recommence. Voler, c'est une question de persévérance. J'y arriverai un jour.

— Félicitations, Lucie. C'est les plus atroces boucles d'oreilles que j'aie jamais vues de ma vie.

— T'es trop chou, Fé, arrête.

— Non, c'est vrai. C'est comme si je portais une guenille de chaque côté de la tête.

— T'es fine, mais t'sais, c'est les tissus de ta mère qui m'inspirent.

— Oui, c'est évident.

— Smartiiiiiiiiiies ?

— *Yes pleeeeease.*

Un jeudi, alors que je pratique mes techniques de décollage dans le corridor de l'édifice de la rue De Gaspé, je fais la fameuse découverte qui va changer ma vie pour de bon.

En tournant un coin de corridor en béton, je passe rapidement devant quelque chose de troublant et d'extraordinaire qui me laisse l'impression d'avoir vu passer, l'éclair d'un instant, un petit univers caché dans un œuf. Je fais marche arrière. C'est un salon de coiffure! Là! Un salon de coiffure miniature, coincé entre les deux grandes portes de métal donnant sur d'autres locaux industriels. C'est fou! Je suis saisie, je l'avais jamais remarqué avant. Le local doit pas être plus grand qu'une salle de bain et pourtant, chaque centimètre carré semble habité. La lumière est chaude et contraste avec les néons du corridor. Les murs sont recouverts de vieilles tapisseries colorées, de photos d'artistes ou d'animaux, et de vieux ciseaux rouillés. Il y a une miniradio d'où sort une minimusique, un vieux siège de barbier rouge et brillant comme une auto tamponneuse, un lavabo beige, une odeur de doux et de vieux en même temps, et une fille de dos, avec une serviette rose sur la tête, qui parle au téléphone. Je remarque la montre calculatrice jaune à son poignet. Au-dessus du mur, dans le corridor, un écriteau jauni avec des lettres dorées: Salon Rosa. Je suis collée là. Je sais absolument pas comment je vais m'arrêter de le fixer. J'ai trouvé un trésor. Je me sens comme une exploratrice qui voudrait voler un échantillon de cet endroit pour le rapporter dans mon monde en disant:

« Regardez, il y a de la vie dans ce corridor en béton ! Regardez ! »

— Fé !

Ma mère me force à revenir sur terre. Je la rejoins en marchant à pas feutrés : ne pas faire de bruit pour entendre le plus longtemps possible la minimusique de la miniradio de ce minimonde dont je suis la Christophe Colomb.

Visite chez mes grands-parents, affectueusement surnommés les Aristochats. Aller chez les Aristochats, rue Nelson dans le très chic Outremont, c'est faire un grand voyage exotique au prix d'un simple billet d'autobus. Bien sûr, ma mère trouve sa famille bourgeoise, terriblement guindée et ennuyante (mon père itou). Mais les enfants — chez les Aristochats, on est des enfants jusqu'à l'âge de 21 ans —, on a le privilège de se promener à notre guise dans leur immense maison labyrinthe avec des murs recouverts de tapisseries en tissu représentant des scènes de chasse. Parfois, dans des recoins, on découvre des échelles de bois qui mènent à des pièces cachées remplies de livres et d'œuvres d'art. On se frotte sur les murs, on renifle l'intérieur des vieilles encyclopédies en décomposition, on vide discrètement le contenu des malles remplies de costumes et de tutus défraîchis (ma grand-mère a déjà été ballerine). Parfois même, par défi, on goûte un peu aux alcools cachés au sous-sol dans un vieux meuble à tourne-disque.

Et j'ai pas encore parlé de la bouffe : mousse de ceci, brioché de cela, faisan qui fait le beau couché sur un grand plat posé sur un plus grand plat et un autre plus grand en dessous... On se régale, chez les Aristochats. Mais étrangement, on mange pas. Ou si peu, ou plutôt juste ce qu'il faut pour tenir jusqu'au prochain repas. Tout pour rester mince, quoi ! Ma grand-mère pourrait me pardonner d'avoir égorgé à mains nues 20 bébés chats ou d'avoir aidé un criminel à quitter le pays, mais jamais elle me pardonnera mes quelques livres de graisse en trop qui déshonorent toute la lignée familiale, mince de mères en fils et en filles. Et elle a pas besoin de m'en parler beaucoup pour que je sente combien je la déçois. Elle lance tout le temps une ou deux remarques cinglantes et baveuses à propos de mon appétit ou de mon poids lorsque je me sers pour une deuxième fois à la table buffet.

— Elle se fait des réserves pour l'hiver ?

M'en fous, je veux pas être eux. Ils mangent en ayant peur de manger, et en s'inquiétant de ce qu'ils mangeront, et de ce que les autres mangent. Moi, quand je mange, c'est parce que j'ai faim ; quand j'en reprends, c'est parce que c'est bon ;

quand j'en reprends une troisième fois chez les Aristos, c'est juste pour les faire chier. Ha, ha! Mon petit plaisir secret est de défier du regard toute cette bande de coincés du derrière en trempant lentement et longuement une grosse tranche de pain beurrée dans le pot de crème fraîche qui accompagne le caviar. Ça les rend tous fous. Ils me dévisagent, dégoûtés et envieux. Mais j'ai un complice: mon oncle Patrice, 29 ans, avide de vengeance familiale (on le force à s'asseoir à la table des enfants parce qu'il est pas encore marié). Pendant que j'accomplis mon « massacre au beurre », il ricane de façon sadique, assis sur une minuscule chaise rose avec des nounours. Ghanhaha! Après le souper, on ira ensemble, comme d'habitude, s'évacher chacun dans son sofa Louis XVI pour digérer et comploter en vue de notre prochain crime au buffet des desserts.

Retour en autobus, ventre plein, mal de cœur, deux nouvelles histoires en tête au cas où je deviendrais une romancière célèbre: une se passe dans une bibliothèque cachée dans une maison abandonnée... Un enfant y est élevé sans connaître le monde extérieur (question: les livres peuvent-ils remplacer le monde réel?). L'autre, c'est l'histoire d'une vieille femme-oiseau qui oublie chaque jour de mourir tellement elle est occupée à se mêler de la vie des autres.

Deuxième jeudi après LE jeudi de la grande découverte : mon minisalon de coiffure, une fleur sortie du béton. Lorsque je parviens, presque en courant, devant l'entrée, me voilà une fois de plus figée. Décidément, cet endroit a vraiment un effet *weird* sur moi. À l'intérieur, trois personnes s'activent : un homme fin quarantaine, une dame assise qu'il est en train de peigner et une fille, ado. Je la reconnais. C'est la fille à la montre calculatrice jaune, plus de serviette sur la tête, de beaux cheveux noirs ébouriffés, un côté court, un côté long. Le froid du corridor et des néons, la chaleur de ce mini-espace orangé et habité : mon corps peut sentir les deux. La fille s'avance vers moi sans me voir, sans surprise, comme si je venais tous les jours.

— Assis-toi, je vais te laver les cheveux pendant que Michel finit de coiffer sa cliente.

Pas le temps de réfléchir que j'ai déjà la tête dans le lavabo et la face dans le décolleté de Miss calculette jaune. Maintenant, mon corps est entièrement dans la chaleur. L'eau sur ma tête, l'orangé des vieilles tapisseries, des odeurs de citron, de noix de coco et de peau. L'instant suivant, je suis face à Cyndi Lauper, sa photo collée sur le miroir, j'ai une serviette rose sur la tête et ma coiffeuse me demande :

21

— Qu'est-ce que tu veux ?

— Euh…

— On coupe ?

— O. K.

— Court ?

— O. K.

— « Court » comme dans… comme ça ?

Elle replie mes cheveux à la hauteur de mon cou.

— Ou court comme dans ça ?

Elle me montre un cadre rose avec une photo de Superman.

— O. K. (c'est tout ce que j'arrive à dire).

— Bon. Je te propose qu'on commence en douceur avec une coupe mi-nuque. Tu vas voir, après, quand on a les cheveux courts, c'est une vraie drogue, on peut plus s'arrêter. Mais disons que, comme ils sont assez longs, on va y aller par paliers.

— O. K.

— Félixe, j'vais mettre la cassette d'espagnol.

— O. K. p'pa, mais pas trop fort, je me concentre.

Ma coiffeuse agite ses instruments autour de ma tête et ça produit des petits bruits, comme des mouches métalliques près de mes oreilles.

Je la regarde. Son front plisse avant chaque coup de ciseau. C'est maintenant que je réalise qu'elle est belle, pas juste intrigante, pas juste punk, mais véritablement belle, avec des yeux ronds brun profond et une peau légèrement dorée.

— « *Hoy dìa me levanto con el sol.* Aujourd'hui, je me suis levé avec le soleil. »

Le coiffeur et la coiffeuse répètent en chœur, machinalement, chaque phrase en espagnol envoyée par la miniradio turquoise, comme s'ils étaient hypnotisés.

— *Hoy dìa me levanto con el sol.*

— « *Hoy dìa es un dìa nuevo.* Aujourd'hui est un jour nouveau… »

— *Hoy dìa…*

Je sors du salon transformée, presque belle. En tout cas, je porte en moi quelque chose de beau et de neuf que je sais pas encore nommer, mais qui paraît, avec mes cheveux, mais aussi avec mon corps, plus droit, plus électrique. Peut-être qu'au fond de moi, il y a une véritable fée qui veut se réveiller.

Je passerais ma vie à rouler en ville ! J'étampe mon front contre la vitre du camion de mon père, sur le côté, et je regarde le paysage défiler. J'invente des histoires à chacune des personnes qu'on croise aux intersections, j'imagine leurs pensées. Un jour, j'ai vu un pigeon s'envoler d'un trottoir avec un long papier de toilette collé à la patte, on aurait dit un dragon de papier qui flottait dans le ciel. C'est une des plus belles choses que j'aie jamais vues.

De jour, mon père pose le câble pour LA grosse compagnie de câblodistribution. C'est son « alimentaire », qu'il dit (pour excuser le fait qu'il a jamais osé se lancer pour de bon en musique avec son *band* du dimanche après-midi). Mais comme notre famille est très gourmande, papa fait de l'alimentaire le soir itou. Il pose le câble version pirate. Pour 100 $ *cash*, il trafique les boîtes de distribution et il tire un fil jusque dans votre maison pour vous permettre de voir, sur une centaine de postes de télé, l'étendue de la bêtise humaine.

Si un soir j'ai pas de devoirs, papa m'emmène dans son camion et je me laisse porter où il va, en écoutant de la musique reggae ou du vieux jazz à la radio. Papa et moi, on parle peu durant ces moments-là, mais c'est bien comme ça !

Quand la ville est noire et qu'il y a plus grand-chose à observer, à part les jeux de lumière, j'en profite souvent pour m'inventer des histoires de film, de roman ou de BD. Ces temps-ci, mes rêveries vont souvent vers ce salon de coiffure. Il devient le théâtre de plein de scénarios, parfois loufoques.

<u>INTÉRIEUR – JOUR – SALON DE COIFFURE</u>

Gros plan sur le miroir de la coiffeuse.
Plusieurs clients et habitués défilent et
racontent face au miroir une bribe de leur
vie, comme un collier de perles fabriqué
à partir de toutes ces existences mises bout
à bout.

<u>FINALE</u>

On découvre que tous les clients, hommes,
femmes, vieux, vieilles, Blancs, Noirs, sont en
amour avec la coiffeuse.

— Déjà ? T'es pas contente de tes cheveux ? Moi je trouve que ça te va bien !

— « *No me habías dicho que la mujer vendría…* »

— Non, c'est pas ça, je passais, je voulais…

— C'est vrai qu'on pourrait aller un peu plus loin, rentrer dans le cheveu, enlever un peu de volume…

— « *No me habías dicho…* »

— Papa, baisse le son !

— O. K., je veux bien. J'ai pas beaucoup de temps. Ma mère vient ici tous les deux jeudis faire ses achats chez madame Nguyen…

— Miss Spandex…

— … Oui, mais elle est pas là aujourd'hui, y'a que son mari, alors elle va pas rester à bavasser.

— O. K. Je te lave pas les cheveux, ça va aller plus vite et c'est mieux pour ce genre de détail, on voit la coupe en la faisant. C'est presque de la sculpture. Viens, assis-toi… Comment tu t'appelles ?

— Fé.

— Moi, c'est Félixe.

— Je sais.

J'ai le sentiment de l'avoir déjà vue quelque part, l'impression de la connaître. Je cherche, mais non. Félixe sort du cadre du miroir pour aller chercher un peigne. Elle revient. Elle est tout attentive à mes cheveux : on dirait qu'il n'y a rien d'autre qui existe sur la planète. De la sculpture…

— J'aime tes cheveux. Sont pas faciles à dompter, mais quand on y arrive, ils deviennent gentils, gentils, dociles comme des p'tits minous.

Je la regarde me regarder dans le miroir et je ressens une immense chaleur qui part de ma poitrine et irradie dans tout mon corps, jusqu'aux extrémités. À ce moment précis, j'ai une impression incroyable, une sorte d'immense joie, la certitude que tout dans l'Univers est beau et exactement à sa place. Comme si j'avais devant moi la certitude que ma vie allait être une des plus extraordinaires aventures au monde, comme si j'étais… Penser à autre chose, chanter très fort dans ma tête. Lalalalala. Ça va passer.

Pour les humains normaux, rien de plus facile que d'aller aux pommes : prendre véhicule, aller verger, cueillir pommes, revenir maison, faire tartes. Note : la pomme n'est qu'un résultat de l'activité, le plaisir en est l'objectif. Chez nous, c'est le contraire : comme si ma mère et mon père s'étaient lancé le défi de trouver la manière la plus chiante et compliquée d'aller aux pommes. L'objectif caché étant : s'humilier en campagne.

J'entre pas dans les détails, on m'accuserait d'exagérer, mais disons seulement qu'au cours de cette épopée, on a pu entendre les phrases suivantes :

— Tu roules en sens inverse de la circulation.

— C'est écrit M-A-I-N-E sur le dessus de la carte, c'est une carte du Maine, comme l'État du Maine ! On peut ben tourner en rond, *viarge* !

— Jean, c'est beau ce que tu fais là, mais ce chien a pas l'air d'avoir envie de jouer avec toi, viens ici.

— Je refuse de porter des pansements Spider-man, c'est un violent ce gars-là, UN VIOLENT !

— Ma pauvre p'tite madame, ça fait un bon deux semaines qu'il y a plus de pommes dans les vergers.

Au retour, on a acheté un sac de pommes cirées à l'épicerie et j'ai songé à me faire adopter.

Troisième visite au Salon Rosa. Étrange, j'ai des papillons. Je suis moins préoccupée par l'endroit fantastique que j'ai découvert que par la drôle de fée qui l'habite… J'ai pensé à ce que j'allais porter, ce qui est assez rare. Pourtant, en entrant, je réalise que j'y suis déjà un peu comme chez moi.

— Salut Fé.

— *Hola* Félixe, *hola* Michel.

— *Hola* Fé.

Elle m'embrasse sur les joues, comme si on se connaissait depuis toujours, et m'installe sur la chaise sans me poser de questions sur ma présence (ça fait trois fois en un mois que je vais me faire coiffer, quand même !). Puis on se met à jaser comme de bonnes vieilles copines.

C'est facile d'être avec Félixe. Elle parle beaucoup, avec aisance, mais elle a pas peur du silence. Sa voix est magnifique, rauque, un grain de laryngite dedans. Mais parfois, quand je la regarde trop intensément au travers du miroir, je perds le fil de la conversation.

Entre les phrases d'espagnol lancées par la radio, elle raconte des histoires et sa vie se tisse au travers. C'est cette fois-là que j'apprends qu'elle a 16 ans, qu'elle va plus à l'école parce qu'elle a trouvé sa voie, et que son père, bien que d'origine péruvienne, parle pas un mot d'espagnol parce qu'il est né ici, et que ses parents ont exigé le français à l'école et à la maison. Michel et Félixe ramassent leur argent pour aller faire un grand voyage là-bas, bientôt. Elle semble aussi avoir une quantité industrielle de poissons qu'elle adore plus que tout :

— Le gars du *pet shop*, il me dit : « Un aquarium, t'aimes-tu ça tranquille, genre, beaux poissons de couleur qui barbotent, ou t'aimes ça plus vivant, avec des poissons qui se bataillent pis de l'eau qui r'vole un peu ? » Faque moi je lui ai dit : « L'aquarium qui grouille pis… »

Moi, je lui parle du travail de ma mère, de l'origine de mon nom et de ma tortue magique, Élisabeth II, qui disparaît parfois pendant deux semaines et qu'on retrouve encore vivante mais à moitié séchée dans une boîte de biscuits ou dans un coin bizarre de notre appartement.

Certains indices me laissent croire que je suis pas dans un état normal.

Ma mère :

— Jean, je crois qu'il faut emmener Fé chez le docteur, elle passe la balayeuse dans sa chambre ! Je répète, Fé *is passing the balayeuse in her room* !

Lucie :

— Je t'ai vue ! T'as pleuré pendant le documentaire poche sur les infections transmissibles sexuellement. Fé, tu peux te confier à moi si tu veux, as-tu peur des I. T. S. ? Ou est-ce que c'est une affaire encore plus *weird*, du genre que tu fais partie d'une secte qui vénère les maladies vénériennes ? Wou, vénère, vénérienne…

Mon père :

— Veux-tu que papa t'aide avec la belle petite cabane en biscuits soda que t'essayes de faire tenir depuis une heure ?

J'y retourne le jeudi suivant : encore les papillons, les nœuds, le cœur qui s'emballe.

Calme-toi, petit oiseau palpitant, calme-toi. C'est juste une personne qui t'impressionne. Dans quelques semaines, elle aura plus ce pouvoir sur toi. Regarde-la bien : race humaine, caucasienne, sexe féminin. Pendant que Félixe coiffe une autre cliente, je l'observe fixement pour essayer de comprendre ce qu'elle a de si spécial, et pourquoi elle me fait cet effet.

Félixe, étage par étage :

Pieds : Taille moyenne. Baskets vert pomme avec lacets assortis.

Jambes : Assez courtes. Rien d'autre que des jeans de toutes les couleurs a été observé sur ce territoire.

Ventre : Pas maigre, pas rond, chaleureux.

Torse : Pour le haut du corps, c'est le t-shirt qui est roi.

Seins : Assez petits (rien d'autre à dire là-dessus).

Mains : Expressives (au poignet de la gauche, la fameuse montre calculatrice jaune).

Menton : Troué, genre cowboy dans une ancienne vie.

Bouche : Hypnotique et pulpeuse.

Nez : Audacieux.

Yeux : Hypnotiques (encore ce mot ?) et ronds.

Chevelure : Noire, longue d'un côté, courte de l'autre.

L'ensemble : une énigmatique brunette de 16 ans, tout en ombres et en lumières.

Mais dans la somme des parties de ce corps, je trouve pas la réponse à ma question : « Pourquoi je suis obsédée par cette fille ? »

Attaque de zombies sur De Gaspé… ou presque. Je suis de l'autre côté de la rue, j'attends ma mère. J'aperçois un homme assez âgé, bedonnant, arriver en vélo. Il s'arrête face à l'immeuble. Il porte en bandoulière une sorte de sacoche en bois d'où il sort une grosse cloche qu'il fait sonner très fort, plusieurs fois. Le son résonne sur la paroi des immeubles. Ding ding ding!!!

Soudain, une bonne dizaine de travailleurs commencent à sortir sur le trottoir et s'approchent de l'homme. Je constate que chacun d'eux tient un, parfois plusieurs couteaux à la main! J'ouvre les yeux plus grands pour être certaine que je vois ce que je suis en train de voir. Attaque? Règlement de comptes? Zombies? Mais pourquoi les a-t-il appelés avec sa cloche? L'homme est peu à peu encerclé par les ouvriers. Je me sens plus trop bien, je commence à avoir peur pour ce monsieur, et pour moi-même. J'aperçois soudain Michel dans la mêlée, livide comme les autres, qui s'avance vers le pauvre homme. Il a un regard neutre, trop neutre, presque macabre, et surtout, il tient à la main deux paires de ciseaux pointus. L'homme est cerné de toutes parts, je me dis qu'il a plus aucune chance.

À la seconde où je m'apprête à partir à courir en hurlant dans la rue déserte «AU SECOURS, À L'AIDE!!!», je vois une femme remettre doucement son couteau à l'homme qui le place au centre de la boîte-sacoche. D'une main, il tient le couteau, de l'autre, il fait tourner le pédalier qui fait tourner une meule ! Voilà comment j'ai confondu attaque de zombies et aiguisage de couteaux à l'ancienne !

IMAGINAIRE DÉBORDANT À VENDRE

Usagé, tendance à l'excès, mais pas cher, pas cher !
Vendeuse motivée

Je retourne le plus souvent possible au Salon Rosa. Je fais modifier ma coupe de cheveux de quelques millimètres chaque fois. L'idée, c'est de se garder du jeu pour pouvoir revenir. Je change des petits trucs, des mèches de couleur, des micro-tressages. Mon argent de poche passe entièrement là-dedans, une chance que la coupe est seulement de 12 $! Mais souvent, Félixe et Michel me *chargent* rien. Je suis devenue le terrain d'exploration de ma nouvelle coiffeuse. J'ai plus besoin de rien lui demander, elle s'amuse avec mes cheveux, me propose des trucs qu'elle a vus dans les revues. Elle devine ce que je veux. Elle me raconte en même temps sa semaine, ses clients, ses poissons. Je lui raconte un peu aussi la mienne :

mes répétitions de violoncelle, les lubies de Lucie.
Je crois qu'on peut maintenant dire qu'on est
des amies.

Au bout d'un moment, cependant, il y a
comme un éléphant dans le salon de coiffure miniature. Tout le monde le voit – comment éviter
le plus gros animal du monde dans le plus petit
espace qui soit ? –, mais personne en parle. Et il
prend de plus en plus de place. Plus de doute possible, Michel SAIT, Félixe, je suis pas certaine,
mais je crois qu'elle SAIT, et moi, moi, je sais
quoi au juste ?

Puis, un mardi, tout devient clair, terriblement
clair. Je marche dans la rue, je m'en vais chercher
ma mère à son atelier. Soudainement, sans savoir
pourquoi, je ressens dans mon dos une étrange
sensation, comme un minuscule, mais puissant
vent qui veut m'aspirer vers l'arrière. Quelque
chose en moi me crie : « Retourne-toi-retourne-
toi-retourne-toi ! » J'obéis à mon intuition, je me
retourne. C'est là que j'aperçois Félixe qui passe à
toute allure en vélo. Elle m'a pas vue, elle semble
pressée, elle me dépasse. Je crie :

— Hé !

Elle se retourne, elle me voit, puis fait demi-
tour pour venir me parler. Je rougis intensément

et mon cœur implose à chaque pas qu'elle fait vers moi. Une pensée précise vient se graver en rouge dans mon cerveau: O. K., arrête de niaiser, Fé. Cette fille, oui, cette FILLE te fait de l'effet!

— Hé allô! Regarde, il faut que je te montre. Je l'ai trouvé dans la ruelle, derrière.

Elle sort de son sac un joli bébé pigeon hirsute, tacheté, gris et blanc. Il cligne des yeux et pousse de petits gloussements. Il a l'air plus incommodé par la lumière du soleil qu'effrayé par notre présence.

— Bonjour, chose à plumes, qu'est-ce que tu fais dans la sacoche de Félixe?

— Y'est beau, han? Je pense que je vais l'appeler Clint.

— Clint… Clint?

— Y'a pas l'air blessé, juste un peu traumatisé. Han, Clint?

Clint nous regarde avec ses yeux fatigués, on dirait qu'il cherche à comprendre ce qu'on dit.

— Tu vas le garder?

— Je pense que oui. Y'était pris dans une montagne de carton aux vidanges, y'a dû rater son premier test de vol et atterrir là. Il lui reste plus grand-monde à part moi. Sa maman l'a dompé dans une ruelle et vraiment, je pense pas qu'il va y avoir mille personnes qui vont se battre pour lui. Maintenant, y'a juste moi qui m'intéresse à lui… Je vais essayer de le sauver, Fé, je vais faire ça. Il faut que je sois capable de faire ça. Je vais lui fabriquer une petite cage confortable. Je me demande si je pourrais installer une lampe dans mon garde-robe pour le cacher quand je suis pas là ? Juste quelques jours, le temps que… T'en parles pas tout de suite à Michel, parce que t'sais, déjà, avec les poissons… Je vais lui présenter mon bel oiseau quand ça sera le temps.

— Non, non, promis. Je dirai rien. Attends, j'ai quelque chose pour lui.

Je sors de ma poche un reste de sandwich au beurre de pinottes.

— Non, il en mangera pas, il doit manger des trucs écrabouillés encore, y'est petit. Faut que je me renseigne sur l'alimentation des pigeons. Tu sais où je peux trouver des vers ?

— Des vers ? Ben je sais que ça se vend dans certains dépanneurs, dans un genre de pot de margarine…

— Miam…

— C'est pour la pêche… Je pense que c'est plus dans les dépanneurs de campa…

Pendant qu'on discutait, Clint en a profité pour entamer sérieusement mon reste de sandwich au beurre de pinottes. Félixe lui essuie le bord du bec :

— Bon ben, on aura pas besoin de courailler les vers, han, Clint ?

On se met à rire bien fort pendant que l'oiseau retourne dévorer son repas, le bec plongé dans le papier cellophane. Soudain, je vois quelque chose qui dépasse du sac de Félixe.

— Tiens, regarde, il a perdu une plume.

— Prends-la, garde-la, c'est un cadeau.

— Clint, tu me donnes une plume, merci. C'est drôle, la plume sent toi.

— Je sais, j'ai renversé mon parfum dans ma sacoche la semaine passée. Mon pauvre Clint, tu cocottes ! Bon, j'y vais avant qu'il fasse une réaction à la bergamote.

Elle remet son protégé dans son nid temporaire. Elle m'embrasse d'un côté, s'arrête, me fixe – ses joues sont toutes rouges d'excitation –, elle m'embrasse tout doucement de l'autre côté, puis repart sur son vélo à toute vitesse.

— Je vais le sauver, Fé, tu vas voir, il va devenir grand, il va aller à l'université !

Je la regarde partir. Je pose la plume sur mon nez. En temps normal, je crois pas que je pourrais tomber en amour avec une fille. Mais une fille qui sauve un pigeon et qui l'appelle Clint, je pense que je vais faire une exception.

— C'est dangereux Lu de marcher en lisant.

Lucie m'écoute pas toujours quand je parle…

— Mmmm. C'est dangereux Fé de se promener avec un gros néon rose écrit « LOVE » au-dessus de la tête.

… mais elle comprend toujours quand je me tais.

Journée à la plage au bord d'un lac avec mes parents. J'ai bien dit à LA PLAGE. Il a presque neigé hier, mais mes parents ont décidé qu'on avait pas assez profité de la nature cet été, et donc qu'il fallait faire un dernier pique-nique en famille. Ces deux-là, ils en font définitivement trop, et c'est ça qui nous met tous dans la merde tout l'temps ! Le stationnement est désert comme dans un western. C'est presque ridicule de s'obstiner à stationner sagement notre camion entre les deux lignes blanches sur l'asphalte.

— Tu vois, Fé, je te l'ai dit, j'ai la Chance du stationnement ; grâce à ça, je nous déniche toujours la meilleure place !

On entre dans un petit sentier boisé qui nous mène sur le bord du lac. Les feuilles sont presque toutes tombées, il fait un froid de canard, impossible de même penser à se baigner. Ma mère me prie de rester positive. Papa s'installe sur une couverte tissée jaune poussin et joue un peu de guitare. Sa musique triste résonne sur la plage déserte. Il s'arrête parfois pour souffler sur ses mains, histoire de se réchauffer. Maman, incorrigible maman, a apporté du travail. Elle brode à main levée un petit singe sur un t-shirt rose fuchsia.

Moi, je marche sur la grève en touchant secrètement la plume dans ma poche. À l'intérieur, j'ai une bouillie intense d'émotions contradictoires: joie, peine, exaltation. Je suis vraiment tannée de cet état. J'ai besoin que ça sorte de moi. Rien de plus épuisant que d'être en amour. Je déborde. Tout a un sens, tout me fait penser à elle. C'est fatigant.

Je ramasse une longue branche cassée par le vent et je me mets à tracer des sillons dans le sable. Tranquillement, les sillons deviennent des lettres, les plus grosses lettres du monde, elles font toute la surface de la plage. Peut-être qu'un avion au-dessus pourrait les voir. Je prends mon temps, je m'ajuste au rythme de la musique de papa, je pose des gestes très lents et précis, comme un maître dans un jardin zen. À la fin de mon travail, j'ai les bras engourdis, mais je me sens mieux, libérée d'un poids. Papa a rangé sa guitare, et il réchauffe maman en l'enveloppant dans la couverte et en la serrant contre lui.

— Viens, Fé, on y va, ta mère est congelée. Le pique-nique aussi d'ailleurs. Viens, on va manger dans le camion avec le chauffage.

Avant de quitter la plage, je monte sur une énorme roche et j'observe mon œuvre. Je souris en voyant comment les cinq immenses lettres s'agencent si joliment avec le reste du paysage :

« Rosamoureuse », j'ai trouvé ! C'est ça que je suis. Pas « gaie », pas « lesbienne », ces mots m'ennuient à mort, mais « rosamoureuse », c'est chouette ! Oui madame, oui monsieur, j'ose le rose, ici, partout, tout le temps ! Bon d'accord, le nom du salon de coiffure y est aussi pour beaucoup.

J'en suis à ces réflexions lorsque Michel sort dans le corridor et m'attrape par la taille pour me forcer à entrer dans le salon :

— Ça y est, Fé, notre bel oiseau est sorti du garde-robe. Tu peux en parler, maintenant, c'est plus un secret.

— Que, quoi ?

— Je sais pas combien de temps Félixe pensait pouvoir me cacher ça !

— Le… La…

— Un pigeon dans notre maison. Tu sais quel bruit ça fait un pigeon à quatre heures du mat ?

— (Soulagement !) Non, Michel, là, tu te trompes. C'est pas un pigeon, c'est Clint !

— Clint, c'est vrai. J'avoue, je suis pas resté fâché longtemps. Y'est tellement mimi ! Mais c'est fou, on dirait qu'il a pas peur des humains. Quand Félixe me l'a montré, il a grimpé sur mon bras, il est venu jusque dans mon cou.

Félixe se détourne de son client pour nous répondre. Elle parle en agitant son ciseau en notre direction :

— Oui, mais il sait pas voler. C'est un problème. Je veux pas qu'il renie sa nature d'animal volant. Je dois lui montrer à voler. Je sais pas comment. C'est pas évident. Par quoi on commence ?

— Je… je m'entraîne moi aussi au vol depuis un bon moment. Je suis pas certaine que ça va marcher, mais je me dis qu'il faut juste… commencer… par ouvrir les ailes !

Michel et Félixe ET le client se retournent et me dévisagent avec d'immenses yeux ronds de pigeons. Ben quoi ?

Vendredi, visite éclair en solo chez les Aristo-chats pour chercher des tutus. Ma copine Lucie et moi, on se déguise en ballerines-robots pour un party costumé à l'école. Et vlan !

Ma grand-mère est au bord de la crise d'asthme quand elle me voit penchée, en train d'essayer de rentrer dans ses vieux costumes de ballet. J'en rajoute en pigeant dans le plat de bon-bons à la violette, en même temps que je me pavane dans ses corsages trop serrés.

— Fais-toi-z'en pas mamie, je vais pas te les péter tes costumes (que je dis la bouche pleine de bonbons).

— T'es mieux.

On se fait l'œil noir. Si un jour, elle et moi, on se battait dans le Jello, personne serait en mesure de prévoir l'issue du combat. Moi, avec ma légendaire tête de cochon et mon regard spécial qui peut envoyer du feu ; elle, petit sque-lette d'écureuil sur l'expresso qui bondit et vous accroche au revers avec un ongle dans les côtes.

Quand deux animaux de force égale se ren-contrent dans la savane, ils échangent des regards intenses, se saluent respectueusement, puis rentrent dans leur tanière respective. Ma grand-mère hoche la tête froidement, sans m'embrasser et sans me quitter des yeux, et moi, je lui sors mon regard-qui-tue numéro 3, celui de l'ado *fuck-the-world*. Elle referme rapidement la lourde porte de son château, moi j'attrape l'autobus au vol avec un sac débordant de tutus.

J'aime Michel et je crois qu'il m'aime aussi. Il me parle de ses voyages et de ses lectures, comme à une bonne amie. Sur le mur de son salon de coiffure, il y a deux petites étagères remplies de livres avec une pancarte jaunie : « SAUVEZ LE MONDE, LISEZ ! » Il prête des livres à ses clients qui les lui rapportent toujours religieusement. Il varie souvent ses suggestions de lecture, en fonction des saisons et des goûts de ses lecteurs. L'autre jour, j'ai vu le mari de madame Nguyen, la déesse du Spandex, repartir avec sous le bras un gros ouvrage sur les champignons sauvages du Québec. Plus de doutes sur la source d'inspiration de sa super coupe de cheveux ! J'ai vu aussi un ouvrier une fois, mains usées, cheveux pleins de plâtre, odeur de cigarette imprégnée dans la chair, entrer dans le salon et se choisir une brique de genre 800 pages avec un titre bien compliqué, quelque chose à propos de philosophie orientale. Les humains sont étonnants; pas toujours à l'endroit où on pense les trouver.

Cette fois, c'est à mon tour, je m'élance en direction de l'étagère. Emprunter un livre, je sais faire ça. Et ça me procure aussi un beau prétexte pour revenir au salon sans que ça me coûte 12 dollars.

Félixe me regarde fouiller lentement parmi les ouvrages. Je commence à avoir un peu honte de rien reconnaître. Je me sens observée, j'ai l'impression de passer un test. Je me dis qu'elle va forcément me juger en fonction du livre que j'aurai choisi, comme je l'ai fait avec monsieur Nguyen et l'ouvrier. Et là, pour ajouter à cette tension, j'en profite pour m'envoyer une sauce intérieure de questions non résolues: je me demande qui je suis, dans la vie, moi. Quels sont mes goûts, mes intérêts? Est-ce que j'ai ne serait-ce qu'une vraie passion? Quelle est cette vraie nature intérieure que, selon mon père, je devrais découvrir? Une réponse vraiment *vedge* me vient en tête: « Les animaux. Fé, tu aimes les animaux. » Comme tout le monde au monde aime les animaux, cette pensée est loin de me rassurer. En plus, je me vois mal me retourner en demandant à Félixe: « Est-ce qu'il y a des livres sur les animaux? »

Comme si elle avait lu le désarroi sur mon visage, elle s'approche de moi. Chaque fois, quelque chose se resserre dans mon ventre.

— Lui, c'est mon préféré. C'est un texte écrit juste avec des coupures de journaux. Au début, c'est *weird*, mais tu vas voir, c'est vraiment beau.

C'est un petit livre carré comme une pochette de CD et racorni aux coins par l'usure. Il s'intitule *À l'école de l'amour*, et est écrit par un certain J. R. D.

— O. K. Je vous le rapporte bientôt.

— Et qu'est-ce qu'on fait aujourd'hui ?

— Que, quoi ?

— Tes cheveux ?

— Oh, j'sais pas. Les laver ?

— O. K., je vais te les laver et essayer les minitresses que j'ai trouvées dans une revue. Tu vas être top !

— Oh *yes* !

Le rituel habituel : l'eau tiède, mon cœur qui bat fort, ses mains dans mes cheveux, la serviette rose, l'odeur de *coconut* et de citron, le miroir avec Cyndi Lauper et ma face qui prend toute la place. Félixe me parle (encore) de son aquarium à poissons comme si elle était le dieu suprême d'un petit monde aquatique. Parfois, je me demande si je l'aime, elle, ou si je désire simplement être elle.

— Qu'est-ce que t'en penses ?

On dirait que je porte un casque de bain tressé.

— Je sais pas. Les tresses sont jolies, mais moi… moins.

Félixe a l'air déçue. Michel s'approche et me lance :

— Fé, t'es une belle fille. Regarde dans le miroir comme il faut, qu'est-ce que tu vois ?

Réponse intérieure : Casque de bain de cheveux + visage rond et sans intérêt.

— Merci Michel, merci Félixe. Je vous rapporte le livre bientôt.

Je prends mon portefeuille.

— Non, c'est ma tournée.

— Ben merci, bye Félixe.

— Bye Fé.

J'aime espionner Félixe et Michel. Depuis un certain angle dans le corridor, on peut les voir sans être vu. Je m'accote contre le mur en béton, et je les regarde exister : des poissons dans leur aquarium. Dans cet espace si minuscule, jamais d'accrocs, pas d'accident. Leurs corps se déplacent avec fluidité, comme une chorégraphie apprise par cœur. Ils font valser le client du lavabo à la chaise, s'échangent les ciseaux et les peignes, font voler les serviettes et les sarraus. Et toujours ces petites phrases robotiques qu'ils répètent pour répondre à la radio qui leur parle en espagnol. Un mécanisme d'horlogerie très complexe et raffiné au fil des ans. Je vois leurs visages dans le miroir. Ils ont perdu l'habitude de se regarder vraiment, ils ne font que se voir. Michel a les cheveux courts, presque rasés, poivre et sel, des yeux fatigués de panda et un *piercing* à la lèvre. Il est tout le temps habillé en noir. Ses mains parlent, elles disent qu'il a travaillé beaucoup, presque toute sa vie.

Aujourd'hui, Félixe est tout habillée en noir, elle aussi, sauf pour les baskets. À les voir, comme ça, deux silhouettes sombres qui posent les mêmes gestes, disent les mêmes phrases, j'ai soudain un malaise, une image qui apparaît comme une bulle. On dirait… on dirait un couple ! Un vieux couple, oui, sûrement, assez inhabituel aussi, mais un couple quand même, solidifié par les années et les épreuves du passé. Je fais demi-tour dans le corridor, en direction opposée, pour faire éclater cette bulle que j'ai plus envie de voir.

Un lundi sur deux, je garde Pain au chocolat. C'est un petit garçon de huit ans qui vit à trois portes de chez nous, et qui a le visage et la moitié du corps brûlés à la suite d'un accident dont on parle peu. Il est laid, parce qu'il est tout brûlé, et beau, parce que c'est un enfant. Il aime jouer aux dames, faire de la pâte à modeler et taper avec des bâtons sur les arbres. Dans le salon, sur une haute étagère, derrière un livre sur le baseball, il y a un gros pot de *jelly beans* caché, qu'on se descend tranquillement, incognito, en écoutant des émissions de recettes à la télé. À la fin de l'année, il restera juste les bonbons noirs dans le pot, et faudra inventer une histoire pour justifier cette disparition. Ce sera pas trop difficile, le père de Pain a pas l'air d'une lumière !

On pourrait penser qu'un enfant qui s'est fait brûler vif a droit à une portion extra d'amour de la part de ses parents. Eh bien non ! La mère de Pain au chocolat est partie faire tourner, je sais pas où, des ballons sur son nez, et il vit avec sa grande sœur Emma qui est jamais là, et avec son père Benoît, un homme un peu bête, un peu froid, un peu Gino, qui joue au squash un lundi sur deux. Sur leur frigo, dans le corridor, dans la chambre du père et partout dans leur appart, il n'y a QUE des photos d'Emma.

Il n'y a plus de nature sauvage SAUVAGE. Mon père, Jean, me le répète souvent. C'est un rat des champs, élevé à la campagne, aux abords d'un joli petit bois, assez grand pour contenir toutes sortes de petites bêtes féeriques et même, disait-on, une famille d'ours bruns. Il m'a souvent raconté qu'en grandissant, il a vu sa petite forêt disparaître, au fur et à mesure que poussaient une grange pour les animaux, un chemin pour le transport des machines agricoles ou un stationnement pour le troisième *pick-up* de son voisin. En quelques années, la forêt enchantée de son enfance est devenue transparente; on en voyait la sortie dès l'entrée. Des fois, le soir, avant de s'endormir, mon père imaginait la famille d'ours sur le bord de l'autoroute en train de faire du pouce.

Il dit que c'est par amour de la nature qu'il est déménagé en ville. Maintenant, quand il se fait arroser de sloche par un « habitant qui sait pas chauffer » ou quand il meurt de chaleur en été, enfermé dans le métro en panne d'électricité, il se répète ce mantra : « Je suis en train de foutre la paix à un ours, de sacrer patience aux renards, de pas écraser une famille d'escargots, de pas... »

Ma mère insiste pour venir se faire couper les cheveux avec moi. Je suis pas contente, mais je le dis pas. C'est Michel qui lui fait sa coupe. La complicité entre ces deux-là est instantanée et me tombe sur les nerfs solide. Michel éteint sa cassette d'espagnol, ils font des *jokes* ensemble, on dirait qu'ils se connaissent depuis toujours.

Mais ma mère fait ça aux gens, tout le monde l'aime, et ça m'énerve.

— Viens, Fé, on va aller faire un tour en attendant qu'ils aient fini.

Félixe m'emmène dehors, derrière l'immeuble. J'y découvre un vaste et étrange terrain vacant, une sorte de champ post-apocalyptique dominé par de hautes herbes, des fleurs sauvages et des arbres poussés tout croche. Au milieu de cet espace peu commun pour le quartier poussent, çà et là, un champ de déchets industriels et ménagers : des blocs de béton, des sacs de vidanges éventrés, des chaises en velours brodé, dont la bourrure semble avoir explosé comme du popcorn, de vieux vélos défaits, et même une patère en métal rouillé, mais bien droite, prête à accueillir le chapeau d'un gentilhomme qui passerait par là.

— J'aime cet endroit parce que c'est la seule place dans le coin où on peut voir le ciel. Sinon, les bâtisses sont trop hautes, elles cachent tout.

Assise sur une dalle de béton recouverte de graffitis et de vignes, Félixe sort un paquet de cigarettes de sa poche et en allume une. (Merde, je savais pas qu'elle fumait. Pourtant, j'ai jamais rien senti sur son linge ou ses mains quand elle me lave les cheveux.) Elle observe les petits nuages de fumée s'envoler vers les plus gros nuages dans le ciel, et moi je la regarde de tout mon corps, même si je suis dos à elle. Le silence parle, il dit que c'est le temps : le temps de prendre un risque. J'ai juste une chance, et c'est celle-là, et je saute.

— Tu sais, le resto végé dont je t'ai parlé ?

— Oui.

J'ai le corps en entier qui tremble et mes yeux fous regardent dans des sens opposés, comme si je venais de me cogner sérieusement la tête.

— On pourrait y aller ensemble, la semaine prochaine. Je… je t'invite !

— O. K. Quand ?

— Ben, euh, vendredi ?

— Jeudi, vendredi, pis samedi, je finis tard, y'a des clientes qui viennent pour se mettre belles pour sortir.

— Alors mardi ?

— Mardi oui.

— Mardi oui ?

— Mardi oui.

Je suis sonnée, et j'ai cette chanson absurde qui joue en boucle dans ma tête : « Mardi oui, mardi oui. » Pour reprendre mes esprits, je fixe mon regard sur un petit miroir bleu accroché à une branche d'arbre. Félixe arrache un morceau du carton de son paquet de cigarettes, elle sort un crayon de nulle part, et griffonne quelque chose dessus. Le miroir ballotte doucement au vent.

— Tiens, tu m'appelleras.

Elle me remet le papier. Sa main pèse, chaude, sur la mienne. Elle la laisse trop longtemps. Elle me regarde droit dans les yeux, elle a pas peur de cette intimité. Je retiens mon souffle. Puis elle se retourne et marche vers la sortie du champ.

— Viens, on va aller voir ce qu'ils font, ces deux-là.

Et puis moi, après toutes ces années à m'entraîner en secret, ça y est presque, je suis sur le point de voler.

Découverte de la semaine : je parle espagnol ! Après plusieurs semaines à fréquenter le Salon Rosa, j'ai appris cette langue, sans même que je fasse un effort de mémorisation, exactement comme ça arrive avec la musique pop qu'on entend partout dans les magasins et qu'on finit par connaître par cœur sans pourtant savoir le titre de la chanson ou le nom de la chanteuse. Si j'allais au Salon Rosa le mardi, je parlerais italien parce que le mardi, c'est la cassette d'italien. Mais bon, moi, c'est le jeudi, et je parle espagnol, malgré moi. C'est dans l'autobus que je m'en rends compte. Deux garçons, probablement des Mexicains, se font la conversation, et je comprends tout ! Ça dit, en gros :

« Viens-tu chez moi ce soir, p'tit con ? Non grosse nouille aux œufs, tu te souviens pas que mes parents veulent plus que j'aille chez toi ? Oui, mais toi, patate, tu te souviens pas que tes parents ET mes parents sont en réunion ce soir pour l'école ?... » Un truc comme ça.

Je descends de l'autobus deux arrêts plus tôt avec le sourire étampé au visage. Je parle espagnol, moi ! Au coin de la rue, il y a une *taqueria* mexicaine très typique où j'ai jamais osé aller, de peur de pas me sentir à ma place. Mais là, c'est différent, je comprends l'espagnol ! Il faut fêter ça. J'ouvre donc la porte du resto à tacos en grand fracas, je fonce au comptoir avec la confiance pesante du tigre, et je commande dans mon espagnol du dimanche un sandwich au fromage avec quelques piments forts et un jus d'agave *por favor*. Entendre ces nouveaux sons sortir de ma bouche me remplit de joie.

Quelques minutes plus tard, je quitte le resto mexicain avec deux tacos au porc et une liqueur diète. Pour la végétarienne que je suis, c'est pas l'idéal, mais pour la fée que je suis en train de devenir, c'est un triomphe TOTAL.

La fin de semaine est une torture pour les amoureux de semaine. Samedi: ménage, stupide ménage, soupe Pho au resto vietnamien avec mes vieux, puis télé, stupide télé. Dimanche, tour du quartier en vélo avec mon ami d'enfance, Yan.

On se voit souvent les fins de semaine. Il déboule, puis on part traîner un peu dans les alentours. Là, il a un projet photo dans sa classe, il cherche des contrastes, des images qui s'opposent. Je lui montre mon nouveau coin secret, le terrain vague derrière la rue De Gaspé. Il capote. Il prend douze mille photos de ces vélos recouverts par les vignes et de ces fauteuils anciens plantés au milieu de la nature, pêle-mêle. Je pense à elle. Juste le mot « mardi », c'est assez pour m'électriser des pieds à la tête. Mes yeux brillent. Je le vois en me regardant dans le petit miroir bleu qui vit dans l'arbre. Yan me propose de me prendre en photo, assise sur les chaises explosées.

— T'sais, Fé, t'es belle pour une grosse.

— T'sais, Yan, t'es épais pour un génie.

— J'voulais pas te faire de la peine. Je l'pense vraiment, t'es belle... à ta très spéciale manière. Une beauté qui ressemble juste à toi...

— Je comprends ce que tu veux dire. T'es pas le premier à me dire une patente de même... Mais t'es le premier à me le dire aussi joliment.

Et c'est là que me vient en tête cette idée absurde :

— Yan, est-ce que tu peux me rendre un service, Yan ?

— Deux « Yan », wou... ça doit être important.

— J'ai un rendez-vous amoureux, mardi...

— Waaaaa…

— Non, non je te raconte rien, tu sauras rien, je te dirai après, mais… Je sais pas… T'sais quand on était petits, on jouait à s'embrasser, pour le fun… Je manque un peu de pratique…

Yan a peur de rien, et je l'aime pour ça. Il s'avance sans timidité dans les gestes, se colle sur moi solidement et m'embrasse, d'abord avec les lèvres, puis doucement avec le bout de sa langue. Il prend son temps, il me montre les gestes et attend que j'y réponde. Ça fait des petits bruits de salive et de succion qui rendent l'expérience à la fois vraiment dégueulasse et terriblement enivrante. Aù bout d'une longue minute, il s'arrête, recule, puis, tout souriant, me prend en photo.

— Là, t'es vraiment belle !

J'ai les jambes molles et, définitivement, des fourmis dans les bobettes. Je le regarde partir de son bord en vélo comme si c'était la première fois que je le voyais. Il est blond. J'ai jamais aimé les blonds, mais lui, je trouve que ça lui va bien. Il a un petit air norvégien, ou un truc comme ça. On se connaît depuis toujours, on peut donc même dire qu'on s'aime depuis toujours…

Eh bien, une autre journée toute mélangée, à remettre en question mes certitudes ! Je roule lentement jusqu'à la maison, la tête en gélatine.

Lundi, je boude tout. Je boude les nuages, je boude ma mère, je boude mon père, je boude l'autobus, la planète entière, j'ai rendez-vous demain avec Félixe et je sais pas quoi mettre, je sais pas quoi faire, je sais pas comment m'y prendre, et je sais même pas si c'est légal quand on est une fille d'embrasser une autre fille dans un lieu public, je sais rien !!!! Alors je boude et je me fais croire que lundi va rester lundi toute la vie.

Mardi ne me fait plus peur parce que mardi, c'est aujourd'hui. Je sais que je vais la voir et ça me rend heureuse. Plus envie de m'énerver. Je mets mes jeans porte-bonheur, mon t-shirt chanceux, celui avec un loup, quelques bracelets et une touche de rose sur mes joues. Je porte la dernière création de Félixe en matière de cheveux. Mon amour pour elle fera le reste. C'est une belle journée de fin d'automne et je sens que j'ai le vent dans les voiles. Sans doute elle portera un gros foulard de laine dans lequel je pourrai mettre mon nez.

Je crie au pied de l'escalier :

— Je vais avec Félixe, maman ! Je prends mon cellulaire ! Oups, non, j'ai oublié : j'ai-pas-de-cellulaire-parce-que-tu-veux-pas-m'en-acheter-un-parce-que-tu-dis-que-ça-fabrique-des-esclaves !

S'il m'arrive quelque chose de grave, je t'appellerai pas parce que j'ai PAS de cellulaire, ils t'appelleront de la morgue, O. K. ? Bye ! Bisous !

Ma mère apparaît dans le cadre de porte.

— Ça va Prune, tu vas survivre, j'aurai pas à visiter la morgue ce soir. Tiens, 40 piasses, paye-lui un beau lunch à ta blonde.

— À ma… ?

Je deviens rouge tomate, je lui arrache l'argent des mains et je sors en claquant très fort la porte.

Je suis pas d'accord avec ces mères qui savent tout et qui sont d'accord avec tout. Pas d'accord, pas d'accord, pas d'accord ! Où sont passées les bonnes vieilles mamans qui comprennent rien de rien à leurs enfants, et qui tombent sans connaissance quand on leur annonce qu'on est gai ? Pas moyen de faire les choses dans l'adversité ? D'être une héroïne ? Non, franchement, on va où, là, comme société, avec ces nouveaux parents ouverts ?

Je rouspète sur mon vélo jusqu'à Saint-Viateur. Là, je réalise qu'au fond, je suis super soulagée. Si ma mère le sait, mon père aussi et sûrement tout le quartier, toute la ville et sûrement aussi plusieurs personnes excentriques de la communauté japonaise et mondiale qui s'en foutent vraiment royalement. Voilà, c'est fait, je suis rosamoureuse DANS le monde et plus juste dans mon cœur.

Toutes ces réflexions m'ont complètement fait oublier mon rendez-vous doux. Puis, en tournant machinalement au coin de la rue De Gaspé, je la vois, au loin, en train de fumer une cigarette. Elle porte un gros foulard de laine orange comme je me l'étais imaginé, on dirait qu'elle s'est mise belle, pour moi.

En approchant d'elle, j'ai des confettis qui sortent par les oreilles.

Je suis pas certaine que j'aime ça, les rendez-vous doux. L'instant est parfait, on est bien dans la lumière du soir, au creux de cette petite vitrine de resto aux murs turquoise, mais je trouve ça douloureux, difficile. Trois fois, je vais à la toilette pour me donner un peu de courage. Je suis heureuse qu'elle me parle, heureuse de lui parler. On apprend à se connaître, mais toujours, en fond d'écran, il y a cette peur et ce désir en même temps, cette projection vers un moment qui existe pas encore, celui où j'oserai m'approcher d'elle pour dire tout haut ce que tout le monde sait tout bas : I LOVE YOU. Pour l'instant, je m'en sens incapable. J'aimerais avoir une sorte de scanner thermique intégré dans les yeux, je verrais la chaleur de son corps s'activer : tons de bleu pour les parties froides, tons orangés pour les parties chaudes ; je saurais si les petits gestes niaiseux que j'esquisse, en frôlant sa main, par exemple, pour aller chercher une *napkin*, lui font de l'effet. Je saurais si je peux ou non oser approcher tout mon corps pour essayer d'entrer dans sa chaleur.

Heureusement, il y a la bouffe. Jus pommes-carottes-betteraves, sandwich aux falafels de pois chiches, pita moelleux, mayo de soja, luzerne, oignons rouges, carottes râpées à la coriandre et deux tonnes de tranches fines de cornichons marinés. Après, je lui ferai goûter le gâteau à la caroube et aux bleuets.

Félixe insiste pour me reconduire chez moi parce que, dit-elle, il commence à faire noir, et c'est pas prudent de marcher seule, à mon âge, la nuit.

— Au fait, t'as quel âge, Fé ?

— Quatorze. Quinze à la fin du printemps prochain.

— Tes parents s'inquiètent pas quand tu rentres tard ? Je pense qu'ils devraient…

Et moi, je commence à penser qu'elle se prend pour ma gardienne.

— Viens, je vais t'aider.

Elle m'aide même à attacher mon bicycle sur la clôture comme si j'avais quatre ans. Elle comprend pas que si j'arrive pas à l'attacher, ce maudit bicycle, c'est que ma tête, mes mains et mon cœur communiquent plus du tout entre eux. Ma tête dit: «Vas-y, embrasse-la, vas-y, qu'est-ce que t'attends?» Mon cœur panique en criant intérieurement: «*Oh my god, oh my god, oh my god!*» Et mes mains tremblent parce qu'elles savent plus quoi faire, ni à qui obéir. Le gros bordel. En plus, on gèle.

— Hé, merci, c'était l'fun. Pour tes mèches, oublie pas le produit spécial que je t'ai donné, O. K.? Bye.

Bisou froid et amical sur la joue gauche, puis bisou froid et amical sur la joue droite. Sans plus. Elle avance sans se retourner. Je la regarde partir. Quand elle tourne le coin, mon cœur tombe sur le trottoir comme une vieille tomate molle. J'ai envie de lui courir après pour lui demander si elle veut au moins être ma gardienne.

Le reste de la semaine, il a neigé, même s'il faisait beau. J'ai décidé, surtout jeudi, qu'il y avait une grosse énorme tempête de neige sur Montréal qui m'empêchait d'aller au Salon Rosa. Personne est au courant, mais cette semaine a été marquée par des records en matière de catastrophes météorologiques. On a failli y passer, tous…

Tournée en camion avec mon père. Il voit bien que c'est pas la forme. Je vois bien qu'il le voit bien. Je prie le ciel, et la lune, et les étoiles pour qu'on en reste là, pour que, fidèles à notre habitude, la musique soit seule maîtresse et reine de l'habitacle. Rien me ferait plus chier, en ce moment, qu'une séance de psychanalyse paternelle. Jusqu'à ce que…

— C'est pas facile, han ?

— … (Et boum !)

— Je sais ce que tu vis, Fé. En fait, pas exactement pareil là, mais quand même, je comprends.

— … (Non, non, noooooooon !)

— Moi aussi à ta place je trouverais ça dur… Trouver sa vraie nature, c'est…

— … (Comment on fait donc pour s'éjecter sans se blesser d'un véhicule en marche ?)

— Mais d'la nature, y'en a plus, maudite marde ! C'est ben ça le problème !

— … (Ah, ouf, sauvée ! C'est juste son bon vieux « moi-à-ton-âge-j'avais-des-champs-des-rivières-des-forêts… »)

— Moi à 15 ans, j'étais entouré de champs, de forêts, de cabanes dans les arbres, de rivières ! Juste à moi ! Je pouvais courir, grimper, je pouvais *spoter* une caille à 500 pieds de distance, bondir pour l'attraper. Je pêchais à mains nues, je respirais de l'air, du vrai. Toi t'es née au beau milieu du trafic, tu peux pas savoir qu'est-ce que c'est, respirer vraiment...

— C'est quoi, respirer vraiment? T'avais pas genre une histoire, à 15 ans, avec tes chums dans la grange, où t'avais respiré du gaz à Ski-Doo?

— Han? Ah oui, le gaz... C'est vrai... Pis je t'encourage à faire ça toi aussi...

— ... (?????)

— ... je veux dire à faire tes propres expériences dans la vie. C'est important. Sauf pour le gaz à Ski-Doo... non... ça c'est... je te le recommande pas... D'ailleurs, j'ai toujours été un peu moins bon en maths après... Faut comme que je force un petit peu plus fort, ici par en avant, dans l'front, pour me rappeler mes tables de multiplication...

Papa s'envole dans ses songes. Il doit être quelque part, dans sa tête, en train de se baigner dans le ruisseau limpide de son enfance. La musique reprend sa place. Ouf! *Break*. Je regarde autour. La nuit est particulièrement noire, même les maisons de ce petit quartier résidentiel ont l'air éteintes. Soudain, pour rien, papa stoppe le camion en plein milieu de la rue.

— Le coffre à gants. Fé, donne-moi ma lampe frontale s'il te plaît.

Il sort de la poche de son manteau un petit carnet noir et un stylo. Je lui donne la lampe, il la place sur son front, et commence à écrire, accoté sur le volant.

— Qu'est-ce que tu fous ?

— Je viens de me rappeler un rêve que j'ai fait. Attends…

Il est super concentré, il prend des notes frénétiquement, éclairé par sa lampe frontale, comme un explorateur au creux d'une grotte. Notre camion bloque entièrement l'étroite rue. Le conducteur dans la voiture derrière nous se met à klaxonner. Papa met ses clignotants d'urgence et poursuit son écriture.

— Comme ça, là, en plein milieu de la rue ? Ça vient d'te pogner, faut qu' t'écrives ?

— Ça sera pas long.

Re-klaxon. Papa ouvre sa fenêtre et hurle :

— Si le monsieur derrière veut bien me laisser finir !!!

Je renfonce dans mon siège. La honte est un sentiment qui écrase.

— Papa, *please*, laisse-le passer. Tu l'écriras plus tard ton maudit rêve ! C'est pas important.

— Tout est important, Fé, tout. Les rêves, c'est des messages que la vie t'envoie. Bon, tiens, j'ai fini. Tu vois, c'était pas long !

Il me tend la lampe frontale. Re-klaxon.

— Oui, oui, c'est beau, on part ! J'te dis, y'en a qui sont tellement pressés d'aller nulle part.

Il démarre, puis reprend sa tirade sur le sens des choses :

— Chaque petite, même minuscule chose a un sens. Faut juste prendre le temps de s'y attarder. Ça s'appelle « la poésie de la vie ». Sans ça, tout est plate. Tiens, prends, je sais pas moi, le stylo, là, par exemple…

— Bon, on rentre-tu, là ?

Puis, la vie reprend ses droits sur mon chagrin. Les autobus continuent à arriver en retard, et Félixe continue de coiffer ma tête… un peu boudeuse.

— T'as du roux dans les cheveux.

— Ouais, je sais.

— Tu sais que tu pourrais friser si on les traitait avec un *stuff* spécial.

— Ouais, je sais.

— T'as l'air de bœuf aujourd'hui.

— Ouais, je sais.

Yan a déniché des coupons pour aller au cinéma gratuitement le lundi, et il m'invite.

— Je peux pas, je suis avec Pain au chocolat.

— On y va tous les trois alors ! Demande-lui ce qu'il voudrait voir.

Nous, on pensait qu'il allait choisir un film tranquille de petit garçon traumatisé par la vie du genre *Nos amis les dauphins*, mais non, il a choisi *Chute du 34ᵉ étage*, un film-catastrophe assez épais, avec beaucoup de sang et une surdose de musique inquiétante. N'empêche, on a mâchouillé nos pailles jusqu'à ce qu'elles soient toutes tordues, et on a fait des trous dans nos sacs de popcorn tellement c'était stressant.

À la sortie du cinéma, le ciel affichait ses plus belles couleurs, comme un grand cocktail orange avec des vagues de grenadine. Pain au chocolat arrêtait plus de parler tellement il avait aimé.

— C'était fou, t'sais, le gars qui se tient par un pied dans le vide, et pis là, il faut qu'il choisisse ou sa blonde ou son meilleur ami… T'imagines ?

— T'as aimé ça, Pain ?

Pain au chocolat s'arrête net.

— Arrête de m'appeler de même Fé.

— Quoi, t'aimes pas ça ? Mais, tout le monde t'appelle Pain au chocolat, même ta prof…

— Les autres, tant pis, mais pas toi, O. K. ?

Yan se mêle de la conversation.

— C'est quoi ton vrai nom, Pain ?

— Son vrai nom, c'est René.

— Oh *shit*, je pense que je préfère encore Pain au chocolat !

— Je l'sais, René, c'est nul, han ? C'est pour ça que je dis rien quand les gens m'appellent Pain au chocolat. C'est mon surnom depuis toujours, même avant l'accident.

Il nous regarde droit dans les yeux pour dire le mot «accident», il veut nous montrer qu'il a pas peur de ce qui lui est arrivé. J'admire.

— Ben alors, Pain, on va pas changer aujourd'hui la manière dont les autres t'appellent, mais si tu veux, nous, on peut t'appeler n'importe comment. Comment tu veux t'appeler ?

— Wapi.

— Wapi ?

Yan, biberonné aux documentaires de Télé-Québec depuis sa naissance :

— C'est de l'amérindien ça, han ?

— Oui, je crois que ça veut dire «heureux». Mais je trouve surtout que ça sonne bien.

— Wapi. C'est *hot*. J'aime ça.

Je prends mes airs de grande prêtresse :

— O. K. Wapi, tu te nommes désormais Wapi parce que tu es Wapi. Wapi, tape là-dedans !

C'est vrai, que je me dis, un jour, même si on a eu très mal, on est tanné d'être regardé comme un petit pain au chocolat brûlé et on a envie, comme les autres, d'être juste un petit garçon heureux. Wapi !

Clint est mort.

Personne me l'a dit, mais c'est écrit sur le visage de Michel et de Félixe au moment où je passe la porte du Salon Rosa. Félixe est assise sur la chaise de barbier et pleure au-dessus d'une boîte à chaussures ouverte. Michel est derrière elle et la couvre de tout son corps maigre et élancé. Pour une fois, Michel a l'air d'un père, pas juste d'un ami ou d'un collègue de travail. Il s'inquiète pour sa fille. Elle lève la tête, ses yeux sont pleins de larmes et elle me lance :

— Tu vois, Fé, finalement, Clint, il ira pas à l'université.

On éclate tous de rire, et je peux lire le soulagement sur le visage de Michel.

— On va l'enterrer, ma puce.

— Oui, papa…

Elle éclate de nouveau en sanglots. Quelque chose me dit qu'elle pleure pas juste ce pauvre oiseau mort sous-scolarisé.

Je me souviens, une fois, Lucie m'avait raconté que son père était rentré à la maison avec un mini hibou blanc pris entre les lattes du pare-chocs de sa voiture. En fait, c'était un magnifique bébé harfang des neiges qu'il avait frappé sur l'autoroute. Son père était sorti en bougonnant de sa voiture, était entré dans la maison en claquant la porte, était revenu en sacrant avec des gants de vaisselle et des pinces à BBQ, avait sorti le hibou agonisant de son pare-chocs d'un coup sec, puis l'avait lancé au bout de ses bras dans une poubelle sur le trottoir en criant :

— Maudits *zoézos* à marde.

Le père de Lucie n'est pas du genre à organiser des funérailles à un pigeon mort. Quand on va chez elle, on a l'impression que ses parents sont les dignes inventeurs du mot « ordinaire » et de la couleur beige. Et pourtant, je lui envie parfois sa vie. Surtout au moment où j'ai commencé à gravir, sous la pluie, le mont Royal avec mes parents en homme-femme-orchestre. Il y avait bien sûr Félixe, en pleurs, tenant un minicercueil décoré avec des coquillages, et Michel, et ses amis déguisés en sorte d'oiseaux-chamanes-péruviens.

Dans les moments difficiles, mon imagination s'envole ailleurs, vers des lieux plus reposants. Je m'imagine, assise à une table beige, face à des parents beiges, dans une cuisine beige, ma mère brisant parfois le lourd silence pour me dire : « Mange tes macaronis. »

Michel m'avait dit, la veille des funérailles :

— T'es bonne avec les mots, je le sens. Quand tu parles, tu fais toujours apparaître des belles images. Écris-nous un petit texte d'adieu pour Clint. Tu le liras sur la montagne.

J'ai eu une journée pour pondre ce texte... Pondre... Hé ! Hé !

Je savais pas trop quoi écrire, je l'ai pas vraiment connu, ce Clint. Et franchement, c'était pas un peu intense et exagéré, tout ça, non ? Une cérémonie, pour un pigeon ! Même mes parents avaient été invités aux funérailles pour jouer de la musique ! Inspirée par ce soudain « plein le cul des excentriques », j'ai écrit ce premier texte :

Homélie pour Clint
(Version bête et méchante)

Il y a des milliards de pigeons dans le monde, plusieurs meurent chaque minute, et c'est tant mieux. Les pigeons sont des volatiles nuisibles, qui abîment la ville avec leurs crottes, transportent des tonnes de maladies transmissibles à l'homme, et qu'on appelle aussi des rats volants. Le pigeon est aussi un aliment. Le pigeonneau d'élevage est offert dans plusieurs restaurants à Montréal et il paraît que c'est très bon.

Qu'est-ce qui est mieux, élever un pigeon comme son propre frère ou le manger en sauce chasseur?

Des gens meurent, des enfants ont froid, ont faim et nous, on est rassemblés aujourd'hui pour brailler la mort d'un pigeon! Vraiment, Clint, on s'en fout de toi, et ceux ici, ce soir, qui essaient de se faire accroire que tu étais leur ami, que tu as eu juste même une seconde d'amour pour eux, eh bien ils se racontent des histoires! Tu as été un oiseau ordinaire, recueilli par de grands émotifs qui aiment se raconter que tout a un sens, que chaque petite chose mérite qu'on s'y attarde. Non, c'est pas vrai, tout mérite pas qu'on s'y attarde. Même eux, tes supposés amis, vont tous se ramener un petit poulet rôti de chez le Portugais après tes funérailles, et ils trouveront même pas ça bizarre.

Bye, Clint, s'il y a un paradis pour les pigeons, je suis certaine qu'il ressemble à un dépotoir. Tu vas adorer. Comme tous les pigeons.

Bon, j'avoue que j'ai laissé un peu parler ma colère, ici, mais j'en ai écrit une autre version, beaucoup plus gentille, pour la lire devant tout le monde sur la montagne.

J'espère que George S. Clint aime les pigeons parce que maintenant, il en a un qui squatte sa demeure éternelle. Au cimetière Notre-Dame-des-Neiges, Michel a repéré cette tombe avec l'inscription *Clint* dessus, et ça lui a semblé tout naturel d'y creuser un trou de deux pieds de profond directement devant la dalle pour y enterrer le précieux volatile.

On s'est donc tous rassemblés autour de la tombe de ce pauvre George qui devait bien se demander qui on était, et ce qu'on foutait là.

Puis tout le monde s'est tourné vers moi. J'étais un brin nerveuse. Félixe me regardait avec ses yeux brun profond. Je me suis concentrée sur ma feuille qui était en train de ramollir sous la pluie et j'ai lu la version gentille de mon homélie en m'arrêtant quelques fois pour observer cette faune de gens autour de moi. Finalement, j'étais heureuse d'être là avec eux, en ce moment, je les trouvais tous beaux, même les bizarres d'oiseaux-chamanes. Puis je repensais aux mots durs que j'avais eus pour eux plus tôt. Curieusement, j'étais en accord avec les deux textes, le gentil et le méchant. Je trouvais qu'on était tous une bande d'émotifs beaucoup trop intenses ET je trouvais qu'on avait raison de s'occuper de choses banales avec grand soin, comme la mort d'un pigeon ami.

À la fin de la lecture, tout le monde, on s'est fait un gros câlin collectif, puis on a redescendu la montagne, mouillés par la pluie, lavés de nos peines.

Comme prévu, ma mère s'est arrêtée au Portugais chercher un petit poulet rôti.

— Non, Félixe est pas là aujourd'hui, elle a pris congé. Elle sortait avec son espèce d'ami anglais, t'sais le grand blond, cheveux longs, bâti comme une armoire à glace… Il porte tout le temps une sorte de machin en cuir avec ses gros *headphones* argent… Il a un drôle de nom… Troy, c'est ça, Troy… Tu l'as déjà rencontré ?

— Non, je l'ai pas rencontré, mais la description correspondrait plus à un gladiateur-romain-voyageur-spatio-temporel qu'à un Anglais.

— Tu vois, je te l'avais dit que t'étais bonne avec les mots. Hé, Fé, merci pour le beau texte de funérailles ! C'était vraiment un bel hommage que tu nous as fait.

— C'est rien.

— Non, vraiment.

— Merci.

— Non, vraiment, c'était simple, émouvant…

— Ah, merci… et pour Félixe ?

— Quoi, Félixe ?

— Elle reste combien de temps avec son… gladiateur ?

— Ah non, fais-toi-z'en pas, c'est juste un ami, a sort pas avec je pense !

— Non, non… Je m'en fais pas… je… non… Elle peut bien avoir des amis… je… Moi aussi, j'ai… des amis… Je veux dire… Je suis son amie, mais… euh…

Moment de gêne extrême. Alerte. Sortir rapidement de cet espace pour reprendre mon souffle et mourir un peu.

— T'es *cute*… Elle devrait rentrer travailler demain, mais si tu veux, tu peux l'appeler.

— O. K.

— O. K.

— Bye.

— Bye.

Même rendue dans le corridor, je peux encore sentir entre mes omoplates le petit sourire narquois de Michel.

Martine, ma mère, est une rate des villes, élevée à la chic, dans un quartier où les rues sont ornées d'arbres matures, et où le coiffeur du coin vous accueille avec un expresso ou un verre de vin. Elle aimait le confort cossu de sa maison, les luxuriants jardins derrière la rue et la finesse des porcelaines anglaises, mais elle détestait jouer avec des enfants qui avaient peur de se salir et qui racontaient leurs vacances d'été avec un insupportable détachement : « La Corse, c'est plus ce que c'était. »

Dès qu'elle en avait la chance, elle filait sur son beau vélo blanc vers le quartier plus bas. Des poissonneries, des étals de fruits exotiques, des restaurants grecs, des magasins juifs, des cafés-bars où Italiens, Portugais et Mexicains écoutaient le foot comme d'autres vont à la messe : ce quartier ressemblait à un joyeux bazar. On y trouvait aussi beaucoup d'enfants, partout, de toutes les couleurs, toutes les ethnies, qui jouaient ensemble dans les ruelles et sur les trottoirs, sans craindre pour leur jupe ni leur pantalon. Pour Martine, le Mile-End était une terre de liberté.

Dès qu'elle a eu 18 ans, elle a signé son premier bail, avenue du Parc : une minuscule chambre avec toilettes, au-dessus d'une pâtisserie juive. Le matin, son appart sentait le gâteau ; le soir, elle s'endormait en se laissant bercer par le « doux » bruit de la circulation.

Il y a un resto de nouilles asiatique de l'autre côté de la rue de l'école. Lucie et moi, on s'y attarde des fois après les cours, pour partager une petite soupe et ouvrir avec cérémonie notre rituel biscuit chinois :

— « Chance et Amour sonneront prochainement à votre porte. »

— Veillez à ne pas répondre à la porte en portant votre pyjama bleu poudre avec des nounours.

— Sans farce, Lu, qu'est-ce que tu penses que ça veut dire, ce mot-là ?

— Ça veut dire ce que ça veut dire, Fé ! Ça va sonner à ta porte pis bang ! Ta vie va changer.

— Ben non, c'est juste des niaiseries… Tu penses ? Tu crois à ça, toi ?

— Dur comme fer. Moi, si y'a un biscuit chinois qui me dit de pas traverser la rue, je traverse pas la rue. Si y'a un biscuit chinois qui me dit de pas *frencher* le beau gars qui tripe sur moi, je *frenche* pas le beau gars même s'il tripe sur moi. Si y'a un biscuit chinois qui me dit de rester chez nous…

— Tu restes chez vous. Bon, O. K. Pis, qu'est-ce qu'y te dit, là, ton biscuit chinois ?

— « Vos proches apprécient votre ponctualité. »

— Wow! C'est vrai, Lucie, t'arrives toujours à l'heure, t'es tellement ponctuelle, j'apprécie ça!

— Ta yeule!

N'empêche, «Chance et Amour» ont vraiment sonné à ma porte le mardi suivant, à 21 h 23 précisément. Et comme l'avait prévu mon amie Lucie, j'ai vraiment répondu dans une tenue douteuse:

— Bonjour... lutteur mexicain... Est-ce que Fé est là?

J'enlève la cagoule verte et or que mon oncle Patrice m'a rapportée d'un voyage, dévoilant ainsi mon beau visage en sueur rouge tomate.

— J'ai... C'est pour le voisin, il sonne, je mets ça, c'est mon oncle qui a fait un voyage au Mexique, mais c'est pour le voisin parce qu'il nous énerve avec notre musique pis Élisabeth II.

— Si ça te dérange pas, je vais pas essayer de comprendre ce que tu viens de me raconter, O. K.?

— O. K.

— De toute façon, c'est bien, ce masque, tu pourrais le porter vendredi à L'Envers.

— Non, à l'envers y'é moins beau. Tu vois, le doré, y'é juste sur le dessus...

— Non, à L'ENVERS, c'est un local qui appartient à des amis d'amis d'amis, là-bas tout près de la *track*. Ils organisent des *jams*, des soirées de poésie, des performances. Je lis un petit truc là-bas ce vendredi.

— T'écris?

— Ouais, non, mais bon, pour cette fois-ci, oui. Mais je me suis dit que… Tu voudrais-tu venir avec moi, pour me donner du courage?

— Je, oui!

— Tes parents vont vouloir que tu sortes tard? Ça devrait finir vers une heure…

— Oui, oui (gardienne).

— *Cool*, apporte le masque, je vais passer te prendre à vélo vers les huit heures.

— Mais, comment t'as su où je vivais?

— Ils viennent d'inventer une patente fantastique, un outil d'espionnage incroyable, ça s'appelle un bottin téléphonique. Bon, j'y vais, bye.

Entrée de L'Envers, 20 h 22. Il fait noir et froid. Sur le gazon givré, face à la porte toute délabrée, il y a deux poules en liberté et des sculptures en métal recyclé plutôt menaçantes. Derrière la porte, un long corridor d'escalier morbide au bout duquel je trouverais sûrement la mort de façon sadique si j'étais dans un film d'horreur.

— Faut avoir 18 ans pour entrer ici, c'est pour l'alcool, y'en vendent pour financer la place. Bon, c'est pas légal, de toute façon, cette place, mais au moins, s'ils se font pogner, ce sera pas avec des mineurs soûls. Avec ton *baby face*, tu serais mieux de mettre ta cagoule pour rentrer. Y t'obstineront pas.

Au bout du couloir, une petite table à café avec une lampe. Une grosse fille blonde, trop maquillée et nonchalante, y est accotée. Elle nous pointe, sans nous regarder vraiment, une immense tirelire en forme de fesses avec une pancarte : **CONTRIBUTION VOLONTAIRE**.

Je glisse un billet de 5 $ dans la craque de fesses en porcelaine et entre dans la seconde pièce sans attendre Félixe.

Un grand loft, des musiciens sur une scène raboutée avec des caisses de lait, des piles de livres contre les murs, des lumières de Noël, des gens partout. Tout le monde parle, tout le monde fume, tout le monde boit. Sur le mur, il y a une expo de photos en noir et blanc magnifique : des gros plans de musiciens et d'instruments. J'observe le monde depuis l'intérieur de mon masque de lutteur. Une faune. Un écosystème.

Félixe vient me rejoindre avec deux bières à la main et m'en offre une. Tiens, ma gardienne me débauche.

Je regarde ma belle Péruvienne du Mile-End parmi les poilus et les *hipsters*. Soudainement, elle a l'air si petite, si hésitante. Elle non plus, au fond, elle a pas l'âge d'être là; elle aussi, au fond, elle en est à ses premiers pas dans ce monde. Je repense à ce qu'elle m'a dit: «Pour m'encourager.» Je prends une gorgée de bière au travers de ma cagoule et je me dis: ce soir, Félixe a besoin de toi pour lui donner du courage.

Dans un coin de la pièce, il y a un homme très maigre en robe de velours noire avec du maquillage qui coule de ses yeux fous. Il porte aussi de longs gants en satin qui longent ses bras. Il tient un aquarium rempli de petits poissons rouges. Il reste longtemps là, immobile, il nous fixe, il se parle tout seul.

Félixe me lance:

— C'est un performeur fantastique!

Tout d'un coup, l'homme se met à crier d'une voix nasillarde et inquiète en répétant sans arrêt:

— Est-ce que quelqu'un a du feu? Est-ce que quelqu'un a du feu? Est-ce que…

Puis il plonge avec ses gants dans l'eau et en ressort un poisson qu'il jette par terre. Puis deux, puis plusieurs, il les lance pour les laisser mourir sur le plancher devant lui. Les poissons se tortillent dans tous les sens. C'est atroce à regarder. Ça bondit de partout. Parfois, les spasmes des poissons sont si puissants qu'ils r'volent de l'autre côté de la pièce. L'homme-femme se met à pleurer, comme s'il regrettait soudainement, et avec ses gants, il essaie de les rattraper, mais il y arrive pas. Il est désarticulé comme une marionnette brisée.

Félixe me dit dans l'oreille :

— Bouge pas, je reviens !

Je suis figée. Pourquoi elle me plante là, dans cet instant insupportable ? Des spectateurs gueulent :

— *Put the fish back into the f@king water !*

Mais personne se lève pour sauver les petits poissons qui s'asphyxient. Personne, même pas moi, Fé, amie des animaux, qui arrive pas, même avec mon masque de lutteur qui me donne du courage, à traverser la pièce pour faire ce que mon cœur me hurle de faire. Je commence à trouver cet endroit vraiment nul à chier.

L'homme est maintenant couché par terre et il dessine, au sol, un cœur avec les cadavres de quelques poissons. Certains sautillent encore un peu et le performeur doit s'y reprendre plusieurs fois pour réussir sa forme. Félixe revient enfin se rasseoir à côté de moi. Je me retourne pour l'engueuler un bon coup, pour lui expliquer qu'elle est nulle de m'avoir laissée seule devant un spectacle si nul, dans un endroit si nul. Elle est là, avec un sourire de victoire et trois poissons rouges qui barbotent dans un verre de bière en plastique rempli d'eau.

— Ceux-là, ils ont pas envie de mourir pour l'art !

La bière, la chaleur et la fumée de la place m'embrouillent. J'ai envie de m'en aller.

— Viens, y'a un train qui va passer.

— Quoi ?

— Enlève ton masque, et viens.

Je la suis dans un petit recoin, elle ouvre ce qui ressemble à un garde-robe, mais en fait, c'est un escalier qui descend jusque derrière, une sortie de secours. La musique du *jam* s'éloigne, la fraîcheur du dehors se fait sentir. Deux garçons et une fille regardent en direction de la voie ferrée qui passe à quelques mètres de L'Envers.

— Viens, on va s'asseoir ici pour regarder le train.

Un des trois fanfarons détache son pantalon pour pisser sur le train lorsqu'il passera. Les autres rient. Justement, le voici, ce gros taureau métallique de quelques milliers de tonnes. Première fois que j'en vois passer un de si près, je pourrais le toucher en allongeant le bras. Ça fait un bruit d'enfer. Tout tremble, la terre, les rails, les mécanismes rouillés des roues, et mon petit cœur. L'épais se met à pisser sur le convoi. Moi, si j'étais lui, j'oserais pas niaiser un animal en acier trempé. On sait jamais, il pourrait mordre.

Je regarde longtemps la silhouette paresseuse du train s'en aller. Quand je me retourne, Félixe a son cellulaire sous les yeux et me dit, sans lever la tête :

— Dis-moi cinq mots que tu trouves beaux, allez, sans y penser :

— *Soupe, dent…*

— *Dent…* comme un *cure-dent* ?

— Ouaip ! Et *minute.*

— Quoi ? Tu te concentres ?

— Non, le troisième mot, c'est *minute.* C'est un mot que je trouve beau, minute. Et, finalement, *Paris* et *rhinocéros.*

— Donc, *Soupe, Dent, Minute, Paris…*

— Et *rhinocéros.*

— O. K. Attends.

Elle pitonne sur son cellulaire.

— Qu'est-ce que tu fais ? T'avais pas préparé de poème ? Tu l'écris là, là ?

— Ouais, je suis pas capable d'écrire autrement que dans le *rush*.

— Tu vas utiliser tous les mots niaiseux que je t'ai dits ?

— Non, si je faisais ça, ça ferait de la très mauvaise poésie. Mais je vais m'en inspirer.

« On se voit dans 15 minutes.
J'aurai un peu vieilli,
mais notre amour sera plus fort.
Je te ferai chauffer de la soupe ou pas.
Je suis un rhinocéros,
j'ai une dent que je *truste* plus,
elle branle quand il vente.
Anyway on se voit dans 15 minutes.
Je te dirai tout ça
ou pas.
Pense à me regarder. »

Les gens applaudissent mollement, et elle, elle me fixe et me sourit avec ses petites fossettes. Moi j'applaudis comme une déchaînée, ovation debout, je hurle, je siffle, on n'entend que moi. Je sais maintenant que Félixe est aussi une fée, une fée qui transforme le Banal en Beau.

Une heure plus tard, elle est face à moi, sur le pas de ma porte, la lune nous regarde, nos yeux sont des aimants qui s'attirent. Puis elle me serre très fort dans ses bras, comme un peu émue par cette soirée d'amour et de poésie où on a sauvé la vie de trois êtres rouges et flottants. Je sens son cœur d'oiseau, son parfum, son corps. Elle est à moi.

Elle met son nez dans mes cheveux, sa main se glisse sous mon chandail, dans mon dos.

— C'est froid !

— Je sais…

— Tu t'en fous, han ?

— Oui, pas mal.

Et puis bang ! Voilà ! Un autre moment parfait gâché par une maudite sonnerie de cellulaire !

— Attends, faut que je réponde.

On devrait poursuivre en cour les compagnies de téléphone cellulaire de cette planète pour tous les baisers avortés, les actes de courage refoulés et les pièces de théâtre gâchées !!!

Elle se recule sur le trottoir pour répondre.

— *Yes ?… Where are you now ?*

Elle parle un peu, puis beaucoup, puis passionnément. Je rapetisse devant mon entrée, tranquillement, je fais plus partie de l'histoire. Je recule vers ma porte. Elle se souvient tout d'un coup que je suis là. Elle me dit « merci » en *lip-sync*, me fait bye de la main, puis elle me tourne définitivement le dos, pour terminer sa conversation privée avec ce maudit bout de plastique.

J'entre chez moi en faisant le moins de bruit possible, et je vais jusqu'à ma chambre pour l'observer. Elle parle, dans le froid, à côté de son vélo, puis finit par raccrocher. Elle s'allume nerveusement une cigarette sans regarder vers moi. Elle est perdue dans ses pensées. On dirait même qu'elle se parle un peu toute seule. Une voiture arrive et s'arrête devant elle. Un garçon très costaud et blond, presque *bleaché*, en sort. Il passe devant Félixe sans même la saluer. Il ouvre le coffre de son auto, soulève le massif vélo sans effort apparent, et le plonge au fond du coffre comme s'il s'agissait d'un cadavre. Ensuite, il s'approche de Félixe, la plaque contre l'auto, et l'embrasse avec fermeté. Je sursaute, je sais pas s'il faut que je pleure ou que j'aille la sauver. Puis je la vois docilement s'engouffrer dans l'auto qui démarre aussi vite qu'elle est arrivée. C'était quoi, ça ? Est-ce que Félixe est en danger ? Est-ce que ce Viking est en train de l'enlever pour la ramener par les cheveux dans sa tribu pour la forcer à lui faire dix enfants ?

Pendant que je suis tranquillement en train de paniquer, je vois l'auto revenir à reculons jusqu'à ma porte. Je retiens mon souffle quand je vois Félixe sortir de la voiture. Elle va sonner à ma porte et me dire qu'elle s'est trompée et qu'elle m'aime, je vais la prendre dans mes bras, non, je vais commencer par aller péter les pneus du gros Viking et ensuite, je vais la prendre dans mes bras et…

Mais non, elle va pas jusqu'à ma porte. Elle se penche plutôt sur le trottoir et récupère le verre de bière avec les trois poissons. Elle monte rapidement dans la voiture sans même se retourner pour voir la petite lumière de ma chambre qui brille pour elle dans la nuit.

Au début, je choisis de faire semblant que tout ça a pas eu lieu. Ni mes parents ni mes amis ont remarqué ma peine. Lundi, j'ai même réussi à rire aux éclats. Mes deux petits cousins jumeaux de trois ans sont venus à la maison. Ils parlent sans arrêt, un par-dessus l'autre, comme un vieux couple, un jumeau complète les phrases de l'autre. Pour amplifier le tout, ma tante les habille en carreauté beige et bleu poudre, avec de longues chaussettes blanches et des casquettes, comme deux petits golfeurs. En les regardant, je me suis promis d'avoir des enfants, un jour.

Mais au fil du temps, le petit robinet mal fermé dans ma poitrine devient un fleuve.

Samedi, mes parents sont pas là et je me sens comme un bébé abandonné. Je suis un bébé abandonné. J'appelle Yan en pleurant. Il déboule chez nous. Je lui raconte tout, larmes et morve, tout coule en même temps. Ça me fait du bien de lui raconter, ça me soulage. Il m'écoute sans me juger. Il est comme ça, Yan. Il prend les gens *cash*.

Après, on prend un vieux t-shirt avec de la peinture et on écrit : « C'est dans ta tête » à l'envers, pour que je sois capable de lire les lettres à l'endroit dans le miroir, la prochaine fois que je serai tentée d'aller me faire couper les cheveux chez ma… gardienne.

— Reste à dormir avec moi.

— Non, je rentre. Ça va bien aller. Quand je vais arriver, je vais t'appeler et on dormira au téléphone ensemble.

Il me borde dans mon lit. Il m'embrasse dans le cou. Ça fait de l'électricité jusque dans mes orteils. Il le sent bien. Je me retourne et il m'embrasse intensément sur les lèvres. Je sens le poids de son corps sur moi et c'est terriblement enivrant. Je sais pas quoi faire, mes mains restent collées au matelas et les larmes coulent toutes seules de mes yeux. Il m'embrasse sur le front et part en refermant la porte doucement. Je me sens malheureuse ET en amour en même temps, mais je sais plus avec qui ni comment.

À l'école, j'ai l'air d'un vieux bas triste et abandonné. Lucie essaie de me remonter le moral.

— T'as l'air d'un vieux bas triste et abandonné.

— Merci. Je l'sais.

— Si on partait en vacances ?

— Pour faire quoi ?

Lucie montre une grosse pancarte imaginaire au-dessus d'elle :

— **LE TOUR DU MONDE À RECULONS.**

— Ça a jamais été fait ?

— Je pense pas. C'est malade, on serait les premières !

— Super vacances, vraiment.

— Faudrait s'entraîner. Je pourrais même nous fabriquer des espèces de boucles d'oreilles spéciales, comme des genres de rétroviseurs pour pas foncer dans les affaires sur notre chemin. On tirerait nos bagages sur des roulettes, faudrait trouver un système.

— Et on irait où ?

— Je sais pas. Ça a pas d'importance, la Terre est ronde, on risque pas de se tromper. On prend un axe et on le suit ben droit, pis on revient au même point. Bing !

Manifestement, cette fille a pas été mise au courant du fait que notre planète est recouverte d'eau. Mais quand Lucie a des idées débiles en tête, je sais depuis longtemps qu'il n'y a qu'une seule attitude saine à adopter.

— O. K. Lucie, on va faire ça.

Bon, ben... je pense qu'il faudrait que je rapporte le fameux livre au Salon Rosa. J'ai pas envie de voir Michel. Je sais plus ce qu'ELLE sait, mais LUI, je suis certaine qu'il le sait. Si j'y retourne, il lira la défaite dans mes yeux, et j'aurai honte, et il sera triste pour moi, et comme ça, je me sentirai encore plus triste pour moi. Donc le plan pour éviter Michel: rendre le livre et signifier à Félixe qu'entre elle et moi, c'est fini (même si elle sait pas qu'on a déjà eu une relation amoureuse intense ensemble).

1. Je l'attends à la sortie de l'immeuble (le mardi, Michel finit plus tôt).

2. Je reste de glace en la voyant, et je lui remets froidement son livre en disant quelque chose comme: «Merci pour le bouquin. Ah, et je me suis trouvée une autre coiffeuse. C'tait l'fun, bye.»

3. Je pars sans me retourner.

4. Il se met à pleuvoir.

5. Elle s'agenouille par terre en se rendant compte qu'elle vient de passer à côté de l'amour de sa vie.

6. Elle pleure dans la pluie, je pleure dans la pluie, toute la ville pleure dans la pluie avec la toune quétaine *Pleurs dans la pluie* en fond sonore.

7. Je rentre chez moi, Yan m'attend avec un collier de fleurs pour me consoler.

8. Je pars avec Yan faire le tour du monde pour photographier des chaises et des divans abandonnés dans la nature.

9. Félixe me voit, ravissante et heureuse, à la télé, dans un reportage sur la photographie contemporaine, elle se mord les lèvres de m'avoir laissée partir.

Ça devrait marcher.

Tournée nocturne avec papa dans un coin pauvre, super pauvre de la ville. Pour la première fois, il insiste pour que je descende du camion avec lui parce qu'il veut pas me laisser toute seule pendant qu'il fait son piratage de câble.

J'entre avec lui dans un appartement décrépit, fait sur le long. À l'intérieur, la lumière est trop forte et ça sent le *butch* de cigarette et la pisse de chat. Il y a tellement de choses partout qu'on sait plus où marcher: matériel électronique désuet, jouets pétés, vêtements pêle-mêle, meubles éclopés, matériel sportif sale, même un vieux Ski-Doo, tout ça empilé le long des murs, parfois jusqu'au plafond. Je me dis qu'il faut manquer de tout pour avoir besoin de vivre parmi tant de choses.

J'entends, au bout du corridor, des enfants qui jouent dans le bain et des adultes qui parlent dans la cuisine. Une petite dame maigre et frêle, teint vert et cheveux cassis, passe devant moi, et me met un verre de jus rouge dans les mains, sans rien me dire, et repart faire sa besogne dans la pièce du fond. Je sirote mon punch aux fruits chimique, debout, pendant que papa s'active autour de la télé.

Un chat passe, puis deux, puis trois. Un quatrième sort de derrière une pile de chaises longues rouillées, avec de la bouffe dans la gueule. La fumée de cigarette s'accumule au bout du corridor et crée une sorte de fantôme en suspension. Sur la table du salon, il y a une montagne d'assiettes sales avec de la nourriture collée dessus.

De retour à l'auto, je cherche le regard de papa pendant qu'il démarre.

— Tu leur as pas *chargé*, toujours ?

— Ben oui, j'leur ai *chargé*.

— Mais t'as-tu vu dans quelles conditions ces gens-là vivent, ça a pas d'allure ! Comment tu peux leur demander cent piasses en plus ?

— Ils auraient été mal si j'leur avais rien demandé.

— Je l'sais, mais t'as vu comment ils sont… T'as-tu senti ?…

— J'ai tout vu, Fé, arrête ! C'est pas notre vie, mais c'est pas une vie de merde non plus. Les enfants prennent leur bain, y'a quelqu'un qui veille sur eux, y'a d'la bouffe dans le frigo…

— Y'a d'la bouffe partout, même !

— La madame t'a même offert un verre de jus.

— Radioactif.

— Et y'a du chauffage dans la maison. Non, je te jure, Fé, qu'eux, y vont bien… Comparés à d'autres, y vont super bien, O. K. ?

— T'as vu pire ?

Papa soupire. Ses yeux, fixés sur la route, s'assombrissent.

— Oh, que oui.

— C'est pour ça que tu leur as *chargé* 100 piasses, parce qu'y en a des pires ?

— J'leur ai demandé 10 piasses.

— Super, papa, Robin des villes, qui vole à la grosse méchante compagnie de câble pour distribuer la télé aux p'tits pauvres. T'es une sorte de héros, t'sais ?

— T'es nouille. Allez, mets le poste de jazz, on rentre.

Aujourd'hui, je me sens en paix avec le monde. J'ai plus envie de faire la guerre à Félixe. Je compte suivre le plan, mais sans enthousiasme, et plutôt que de respecter la phase 6 de mon programme *Pleurs dans la pluie*, je vais peut-être opter pour une BD et une soupe au poulet dans mon lit, la tête sous les couvertures. Et ce sera ça, ma première grande peine d'amour.

De dehors, au travers des portes vitrées, je vois Félixe sortir de l'ascenseur. Je remarque par sa démarche qu'elle m'a vue. Je porte sous mon manteau mon t-shirt « C'est dans ta tête » que Yan et moi on a fait (en cas de rechute). Elle vient s'asseoir à côté de moi sur les escaliers de béton.

— Wow ! Vos cheveux sont magnifiques, madame, est-ce que je peux vous demander qui vous coiffe ?

Je souris. Elle va me manquer.

— Quelqu'un de bien, de vraiment bien.

— T'es pas venue depuis un bout.

— Je prends un *break*… de coiffure. Je l'aime celle-là. Mais je t'ai rapporté ton livre.

— Pis ?

— Quoi ?

— Qu'est-ce que t'en as pensé ?

— Super bon… *Cool.* Finalement l'auteur, J. R. D., c'est une fille !

— Oui.

— …

— Tu l'as pas lu.

— Oui, oui, j'l'ai lu. C'est juste…

— Quoi ?

— C'est noir. La fille a l'air en maudit après l'amour.

— Ouais, je pense qu'elle souffre, elle a mal, c'est pour ça qu'elle chie sur l'amour.

— Pis toi ?

Félixe devient toute rouge, vulnérable, comme si j'avais éteint par mégarde son système de défense.

— Moi ? Quoi ?

— As-tu quelqu'un, es-tu amoureuse ?

— Non. Je… J'ai eu d'la peine, mais c'est fini… C'est vraiment FI-NI. Je suis pas…

— Tu quoi ?

— Je suis pas comme tu penses, ou plutôt comme les autres pensent.

— Et comment les autres pensent ?

— T'sais, la fille qui se tape plein de gars, et tout. Laisse faire. On marche ? Tu vas où, là ?

— Je sais plus trop… dans ma tête, là, y allait pleuvoir.

— Veux-tu venir chez nous, voir mon aquarium ?

Je marche vers chez elle, je sais plus trop ce que je fous là. C'est comme si j'étais dans une mascotte et que je regardais de l'intérieur par les trous des yeux. Je me regarde suivre Félixe dans la petite ruelle qui mène à la porte de sa maison, avec détachement. Je déteste pas cet état de distance. Elle et Michel vivent dans une sorte de chalet suisse en pleine ville, caché dans une rue secrète.

Je me regarde passer la porte comme si c'était quelqu'un d'autre qui la franchissait. L'intérieur ressemble au Salon Rosa, chaleureux, sombre, vieilles tapisseries, meubles trouvés, et plein d'images collées sur les murs. Je me regarde regarder la magnifique chambre aux mille coussins de Félixe. Elle en prend un et me le montre. Elle a soudainement l'air d'une toute petite fille.

— C'est moi qui les fais. J'en ai tellement que je sais plus où les mettre. J'arrive pas à les jeter, j'arrive pas à arrêter d'en fabriquer. Quand je suis stressée, je peux en faire deux dans une journée. Ça a l'air de rien, comme ça, mais c'est beaucoup de *job* !

Il y en a de toutes les couleurs, toutes les textures, avec des bouts de fourrures ou de tissages, souvent avec une broderie kitch d'animal ou de fleur au centre. J'en repère un magnifique, jaune presque fluo, avec une petite broderie d'Amérindien tout au centre.

— Wow, celui-là, y'est vraiment *hot*! Hé, mais j'le connais ce tissu!

— Oui, Miss Spandex.

— Son ancien stock de fortrelle psychédélique. Ma mère a fait des t-shirts incroyables avec ça. Mais attention, parce que me semble qu'elle m'a dit qu'elle avait un client en Chine qui s'était plaint parce que le tissu avait pogné en feu.

— En feu? *Shit*, donne-moi-le. Je vais le mettre loin des calorifères.

— C'est mieux…

— … Oui, c'est mieux.

— … C'est sûr…

— … Oui, sûr… Le feu, c'est… dangereux…

— Oui, le feu c'est… Pourquoi tu me regardes comme ça?

— … Moi? Non, rien. Tes cheveux… déformation professionnelle.

— …

— …

— …

— Fé… tu sais, je…

— C'est beau, tous ces coussins partout. Elle est belle, ta chambre. Elle te ressemble.

Et me voici de retour dans mon corps incon-
fortable, très gênée par ce que je viens de dire !
Mon cœur s'emballe.

— C'est la chambre de quelqu'un de mélangé.

— C'est la chambre de quelqu'un de mélangé
et de formidable.

— Tu le penses ? Je sais pas, Fé, je sais plus.

Je la vois, là, toute petite parmi les coussins.
Ses yeux se remplissent d'eau. J'ai envie de la
prendre dans mes bras pour la consoler. Je fonce
sur elle. J'ouvre les bras. On s'assoit, l'une contre
l'autre, dans les mille coussins. Je sens son cœur
palpiter contre le mien. Je sais plus vraiment quoi
faire ensuite. Je reste là, dans ses bras, j'écoute
son corps se calmer, ses yeux s'arrêter de déverser
le liquide salé. C'était juste une petite averse, pas
la tempête annoncée. Je me dis que je pourrais
me contenter d'être ça, pour elle, une éponge à
larmes. Juste ça, je pense que ça pourrait être assez.

Mais non, son visage dans mon cou cherche
quelque chose, vraisemblablement mon visage à
moi. Je suis le mouvement que me dicte son cou.
Nos mentons se frôlent. Nos lèvres se touchent.
Et là, et là…

— Bon, ben O. K., bye là ! Salut ! Je vais y
aller, c'était super. Est ben belle ta chambre. Merci
Félixe, bye Félixe. Bye les coussins, bye les poissons
aussi…

Je me lève, je m'enfarge dans un coussin et je me cogne légèrement la tête sur la porte entrouverte. Quand je me retourne pour regarder Félixe, je crois que j'ai de la morve qui sort du nez.

— Hé hé ! La porte ! Je l'avais pas vue. Hé ! Salut.

— Fé…

— On s'appelle, là. Bye.

— Fé !

J'ai pensé courir jusque chez Yan, et le *frencher* direct là sur son lit, sans lui laisser le temps de protester.

→ Faire sortir le désir et la colère par n'importe quel trou.

J'ai pensé aller au dépanneur, avec mon casque de lutteur, et *hold-uper* toutes les barres de chocolat pour les manger en pleurant dans la ruelle.

→ Boucher le trou avec n'importe quoi.

J'ai pensé faire comme si de rien n'était et me pointer tous les deux jeudis au Salon Rosa, avec mon sourire timide, jusqu'à ce que mes cheveux soient blancs, et que je regarde courir dans le salon les multiples petits-enfants de Félixe et de son Viking.

➜ Agrandir le trou, tout doucement, jusqu'au néant.

J'ai pensé aller voir papa et maman, et pleurer dans leurs bras, leur dire que Félixe est une mauvaise fille, qu'elle m'a menti, trahie, blessée et que je suis une pauvre victime !

➜ Se cacher dans le trou.

Mais je suis une maudite fée qui rêve juste de voler depuis presque 15 années, alors il commence à être pas mal temps que je fasse un peu de magie dans ma bordel de vie !

Je suis certaine que j'ai l'œil fou et un air de taureau à la charge quand je reviens dans la chambre de Félixe. Toute ma peur du ridicule et du rejet me tire puissamment en direction de la porte, et mon courage et ma tête de cochon foncent en contresens, vers elle. J'ai l'impression d'avancer face à une tempête. Elle, elle est encore assise, les larmes aux yeux, l'air mystifié.

— Félixe… c'est… c'est pas ce que tu penses !

Devant le ridicule des mots que je viens de prononcer, ma peur m'abandonne sur-le-champ, et la force d'attraction qui voulait me faire reculer me lâche comme un élastique. Je r'vole littéralement sur elle et plaque mon visage contre le sien. Je me détends un peu en me rendant compte qu'elle me repousse pas, qu'elle me laisse faire. Je ferme les yeux et prends une grande respiration. Ma bouche cherche la symétrie de sa bouche. Je goûte ses larmes. Nos nez se cognent maladroitement. Félixe recule et me nargue.

— C'est pas ce que je pense, han ?

— Non, absolument pas, non. Je suis pas du tout en train d'essayer de t'embrasser.

Elle sourit. Son visage se rapproche du mien pour trouver mes lèvres, puis s'arrête.

— Et… c'est-tu la première fois que t'embrasses ?

J'ouvre les yeux, gênée.

— Quelqu'un que j'aime, oui.

Nos deux corps se rejoignent une fois de plus, et là, c'est vraiment bien, avec ce petit bruit de succion qui me fait friser les oreilles. Ses mains visitent le dessous de mon chandail. On tombe par en arrière et y'a un million de coussins-nuages pour nous accueillir.

En direct de la lune, Fé vous dit Boooooon Soir !

Allô Fé,

Je t'écris pour te dire que je m'excuse pour l'autre fois, dans ma chambre. Je suis désolée. Je savais pas ce que je faisais. Je veux pas te faire de peine, t'es quelqu'un de vraiment bien. Vraiment bien. Comme je te dis, je suis mélangée. Je suis pas ce que tu penses. Toi, es-tu comme ça?

Je pars bientôt au Pérou avec Michel. Ça va peut-être m'aider à me comprendre.

J'espère.

Joyeux Noël si on se revoit pas.

Fé

P. S.: J'ai pas ton courriel, ni ton cell (en as-tu un? Je sais plus.) Je t'écrirai d'autres cartes postales de là-bas.

Allô Fé,

La réponse à ta question est: oui je suis comme ÇA et non, pas de cell.

Fé

Allô Fé,

Je suis au Pérou. As-tu eu le mot d'excuses que j'ai laissé dans ta boîte aux lettres ? J'espère que tu m'en veux pas trop.

La montagne, sur la photo, je l'ai montée avec Michel. En haut, tout en haut, on respirait mal, mais j'ai senti quelque chose de fort, en fait, j'ai senti ma propre force. Je pense que je suis en train de trouver mes racines. Je sais pas si on va rentrer, on se sent attirés comme un aimant par ce pays.

J'espère que tu vas bien.

Bonne année !

Fé

Chère personne qui vide la boîte aux lettres de Félixe,

Si tu parles à Félixe, peux-tu lui dire qu'il faut qu'elle revienne immédiatement à Montréal ? C'est urgent mes cheveux s'en viennent beaucoup trop longs.

Fé

Allô Fé,

Tout va bien ici, il fait beau, les Péruviens sont
super gentils (et jolis). J'ai rencontré un gars
vraiment cool qui m'écrit des poèmes en langue
autochtone. On se promène encore beaucoup,
papa et moi. Dès que j'ai une adresse ici,
je te la laisse.

Besos!

Fé

Chère personne qui vide la
boîte aux lettres de Félixe,
Oublie le message précédent.
Merci.

Fé

Allô Fé,

Regarde comme c'est beau, toutes ces couleurs.
J'apprends lentement, mais sûrement, à faire
ces tissages anciens avec de la laine du pays.
J'ai eu beaucoup de pratique avec toutes les
minitresses que j'ai faites sur ta tête. Je passe
aussi beaucoup de temps avec le joli poète des
montagnes, wou!

Toujours pas d'adresse,
mais le soleil est avec nous.

Fé

Chère personne qui vide la boîte aux
lettres de Félixe,
Si tu lui parles, peux-tu lui dire d'arrêter
de m'envoyer ses cartes postales de
merde? Ça va, on a compris, elle est
super heureuse, bronzée et épanouie.
Elle peut arrêter de me faire chier, je
vais me trouver une autre coiffeuse.

Fé

Allô Fé,

Je me rends compte que je sais pas si tu
reçois mes cartes postales, mais j'ai une
adresse pour quelques jours chez une
cousine éloignée de mon père, alors je te
la laisse au bas de la carte.
Donne-moi de tes nouvelles, O. K.?

Il fait beau. Michel fait dire allô. Jamais
sentie aussi libre de ma vie.

Fé

Allô Fé,

La canette sur la carte postale, c'est de l'Inca Kola, une liqueur pétillante et vraiment trop sucrée dont je suis maintenant complètement dépendante. Je t'en rapporterai. Et aussi, j'ai MANGÉ de l'alpaga ! Pas fort, je préfère encore les tricoter.

Le soleil, toujours le soleil...

Fé

Allô Fé,
Je vais bien.
Tu vas bien.
On va toutes les deux super bien.
C'est merveilleux.
Alors pas besoin de s'écrire mille cartes postales pour se radoter ça à longueur de journée. O.K. ?

Fé

PS: L'image sur la carte c'est le stade olympique de Montréal, j'y suis déjà allée pour pisser, c'était transcendantal.

Quand on est en peine d'amour, on est toujours en exil, disait quelqu'un, je sais pas qui. Ça veut dire que les rues, les maisons et les gens qui nous entourent deviennent soudainement étrangers.

Heureusement, je vivais cette peine l'hiver, sous la neige, emmitouflée dans un grand foulard et une tuque trop large.

Yan, qui a une dépendance sévère aux coupons-rabais en tous genres, en a déniché un valide pour une balade touristique pour deux personnes à bord d'un autobus à deux étages dans le Vieux-Montréal. On s'est donc offert une virée dans la ville façon touristes. Le chauffeur était un Algérien maigrichon qui avait l'air d'être débarqué depuis cinq minutes à Montréal. Il gelait sous ses dix couches de polar et on aurait dit qu'il était encore stupéfait qu'il neige ici. Dès qu'il refermait la porte de l'autobus, il sacrait en arabe et on se doute que c'était pas des mots doux pour le Bonhomme hiver.

Nous, on était assis parmi une horde d'Asiatiques et d'Italiens et on contemplait le paysage, en admiration, comme si on l'avait jamais vu de notre vie. La rue Saint-Paul, wow! La basilique Notre-Dame, clic! La plupart du temps, j'ai l'impression de squatter une sorte de courtepointe faite de gens de partout qui s'amalgament au hasard, ça forme des quartiers qui s'empilent l'un sur l'autre et qui finissent par faire quelque chose qu'on nomme

« ville » à force. Mais, là, en regardant l'affiche lumineuse rouge de Five Roses au loin, j'ai eu l'impression douce et étrange d'appartenir à une ville ! Fé, citoyenne de Montréal, ça fait du bien des fois d'avoir un chez-soi !

— Moi, c'est Arcade Fire qui me fait ça. Ils sont tellement contents d'être des Montréalais ! Je finis par l'être pour eux.

Sur ces sages paroles, Yan me refile une oreille de ses écouteurs et Arcade Fire accompagne le reste de notre voyage pendant qu'une grosse neige paresseuse endort la ville. Par petits moments, cette douleur a quelque chose de doux.

Allô Fé,

Finalement on est pas restés dans la maison de la cousine de mon père, donc inutile d'essayer de m'écrire là-bas. De toute façon, on a décicé de rentrer ! On a essayé fort, fort de devenir des Péruviens, mais rien à faire, Montréal nous manque, le salon, les bagels, et toi.

Tu me manques. (J'espère que tu as reçu mes autres cartes postales.)

J'ai plein de projets pour tes cheveux, j'espère qu'ils ont poussé !

Je t'embrasse, oui, je t'embrasse.

Fé

Durant l'absence de Félixe, j'ai pensé mourir, mais j'ai pas mouru (je sais que ça se dit pas). Des fois, j'avais un terrible sentiment de vide qui prenait toute la place, des fois j'étais en maudit après ma grosse tête mal coiffée. Mais d'autres fois, je me voyais, triste, mais forte, en train d'apprendre qu'on peut continuer à vivre malgré une peine d'amour. Pas si moumoune que ça, la fée que je suis !

J'ai même survécu à Noël, un temps toujours redouté par les petits cœurs tristes comme le mien. On a brunché avec les Aristochats (mon oncle a embauché une amie comédienne pour l'accompagner et ainsi éviter la table des enfants).

Le soir, maman, papa et moi, on a veillé au salon, assis par terre, collés, dans des couvertes au pied de notre non-sapin (on n'en a pas acheté cette année, alors on lui a fait une place imaginaire). On a mis des collants de Noël sur la carapace d'Élisabeth II et on s'est échangé des babioles et des cadeaux faits à la main. Personne avait le cœur à la grosse fête. Les affaires de ma mère tournent pas très rond et papa se rend bien compte, à chaque année qui passe, qu'il sera jamais la *rock star* dont il avait rêvé. Mais on avait NOUS et c'était assez.

Ensuite, l'hiver est arrivé par la grande porte d'en avant, sans honte et sans gêne, avec des températures pareilles à celles du Pérou, mais SOUS la barre du zéro. Le père de Pain… de Wapi a arrêté le squash. Mais j'ai continué à aller le voir de temps en temps. Un jour, il y a eu une immense tempête, 50 cm de neige sur Montréal, et on est sortis ensemble pour marcher dans les rues enneigées. Il y avait personne d'autre que nous. Wapi marchait, heureux, sans personne pour le trouver ni beau ni laid. On a sauté par-dessus la clôture d'une piscine de la ville, c'était facile, la neige montait jusqu'à moitié. Wapi a «plongé» dans le bassin turquoise rempli de poudreuse et faisait semblant de nager au milieu, parmi les flocons. J'avais l'appareil photo de Yan, alors j'ai fait une magnifique photo de lui à cet instant-là. Un enfant heureux, au milieu d'un désert blanc. J'ai envoyé la photo à son père, qui l'a agrandie et affichée fièrement au-dessus de la table de leur cuisine.

Puis Félixe est revenue avec le printemps, ou le printemps est revenu avec Félixe, c'est selon. Je faisais mon entraînement de marche à reculons avec Lucie, et je lui ai foncé dessus alors qu'elle s'engageait dans ma rue.

— Heille, Lucie, on a tellement reculé qu'on est arrivées au Pérou !

Aujourd'hui, là, maintenant, je sonne à la porte de chez Félixe avec un cadeau. J'ai dans les mains un poisson super bizarre, le plus bizarre que j'ai trouvé à l'animalerie, qui barbote dans son sac de plastique. J'espère qu'elle va l'aimer. Michel me crie d'entrer et j'entre, comme on va chez sa famille. Ça va faire un mois que Félixe et moi, on sort ensemble. Ma mère sait, mon père sait, Lucie sait, Michel sait et c'est tout. J'en parle à personne d'autre à l'école parce qu'ils sont, tous, trop imbéciles pour comprendre la différence entre une lesbienne et une rosamoureuse. En plus, ça les regarde pas.

Yan, c'est compliqué. Je lui ai dit, il a rien dit, mais ça en disait long. En fait, je me suis dit que peut-être qu'il s'était dit que moi et lui... En fait, il me boude depuis, et je pense que c'est mieux comme ça. Moins je le vois, moins je suis mélangée.

Mais aujourd'hui, le soleil brille de mon côté de la rue. J'ai déjà sorti mon vélo. Cet après-midi, mes parents, Félixe et moi allons chez les Aristochats, et là, un peu plus de monde le saura. J'imagine leur tête, et ça me fait un peu rire d'avance. Je me demande ce qui va faire chier le plus ma grand-mère : ma blonde ou ma troisième assiette ?

Homélie pour Clint
(Version gentille)

Il y a des milliers de pigeons à Montréal, des millions dans le monde, mais il n'y en avait qu'un seul qui s'appelait Clint.

Clint, t'étais un oiseau échevelé et un peu trop porté sur le beurre de pinottes, mais tu avais la chance de vivre parmi une communauté de gens magnifiques, assez weird pour élever un pigeon comme leur frère, assez tendre pour pleurer son départ.

Ce que j'aimais le plus chez toi, Clint, c'était tes yeux fatigués, et la fille qui t'as recueilli. T'as eu de la chance. Je connais pas beaucoup de gens qui auraient fait ça pour ce qu'on appelle ici «un rat volant».

Donc, on est tous là, ce soir, pour te dire un dernier adieu. Clint, t'as jamais appris à voler, t'as pas fait de bébé, t'es pas allé à l'université non plus, mais t'as eu une belle vie d'oiseau, un peu en marge d'une vie normale de pigeon, mais une vie remplie de vrais amis humains, colorés et différents, qui pensent que chaque chose mérite qu'on s'y attarde. Je sais pas si c'est vrai, ça, que CHAQUE chose mérite qu'on s'y attarde, mais je sais que le monde est vraiment plus intéressant quand on le regarde en pensant à ça.

Bye Clint, oiseau rare, et ami.

FIN DE LA PARTIE ROSE

PAUSE

PARTIE BLEUE

Un été de siamoises, c'est ce que j'ai vécu avec Félixe. C'est la partie de l'amour où, normalement, dans les films, il y a de la belle musique et on voit les amoureux, main dans la main, faire des choses vraiment stupides comme : tourner dans un manège, s'embrasser sur le bord de l'eau, se mettre de la crème glacée sur le bout du nez pour faire rire l'autre. En tout cas, nous, on a surtout passé notre temps enfermées dans la chambre de Félixe, collées ensemble, peau à peau à se jouer dans les cheveux, se gratter les petites gales, explorer la carte géographique de nos grains de beauté, souvent la tête dans le même chandail, comme cachées sous une tente, à se coller, à se sentir.

Mais c'est vrai que j'ai aussi appris à aimer Félixe DANS le monde : s'embrasser dans une station de métro bondée, au beau milieu de la foule, en prenant bien son temps, dire à quelqu'un qu'on a pas vu depuis longtemps :

« Je te présente ma blonde. »

Le Mile-End, ses odeurs, ses couleurs... c'était encore plus chez nous.

Pendant tout ce temps, je le jure, j'étais certaine que j'avais trouvé ma fameuse vraie nature, celle dont mon père me parlait. À la question algébrique : « Trouvez l'identité de la variable Fé », la réponse maintenant semblait évidente :

$$FÉ = FÉ$$

Eh non, finalement, ça a l'air que ça pouvait pas être aussi simple...

— Heille, c'est mon t-shirt que t'as sur le dos !

— Ouais pis ? Je vais le porter aujourd'hui au salon pour penser à toi.

— Oui, mais c'est mon t-shirt chanceux, et j'en ai besoin aujourd'hui. Donne-moi-le.

— Non, non, non, regarde comment je suis trop top dedans...

— Allô les filles ! Avez-vous déjeuné ?

— Salut Martine. Non pas encore, je disais à Fé...

— Y'a des saucisses au tofu, du jus de papaye et des frites de patates douces congelées, vous pouvez mettre tout ça au micro-ondes. Faque j'y vais. Byyyyyye !

— Bye m'man.

— Élisabeth II a dormi dans ma sacoche. Il va falloir que tu commences à l'élever, cette tortue. Han Élisabeth ? Mauvaise tortue, t'es une mauvaise tortue, donne la patte…

— Salut les filles ! Avez-vous vu les belles couleurs dans les arbres ? On reste-tu toute la gang en pyjamas à la maison aujourd'hui ? Je vais appeler à la *job* pour dire que j'suis malade, on va aller jouer dans les feuilles, on va faire une montagne pis s'pitcher dedans comme quand Fé était petite, on va se faire des chocolats chauds…

— Papa, tu fumes ?

— Han ? Ah, ça ? Non. C'est temporaire. J'essaye ça. Ça me donne un look, han ?… Bon, faque vous restez ? Montagne de feuilles ? Chocolats chauds ?

— Elle, a travaille, moi, j'ai de l'école… que je vais manquer si elle me redonne pas mon t-shirt !

— Bon, vous voulez pas jouer avec moi aujourd'hui, je vais aller bouder dans ma chambre. Bouououou…

— Ton père est cinglé.

— Je suis revenue parce que j'ai oublié de vous dire, je vais être à l'atelier si vous voulez m'appeler, mais j'ai perdu mon téléphone, alors c'est mieux de pas m'appeler. O. K. ? Vous êtes belles, les filles. Byyye !

— Ton père est cinglé, ta mère aussi.

— FÉLIXE, REDONNE-MOI MON T-SHIRT CHANCEUX CALVAIRE !

— Vous êtes tous… trop… trop… cinglés.

Novembre, interminable novembre ; routine, stupide routine ; parents, incompréhensibles parents. Il y a juste Félixe qui me donne envie de me lever ces temps-ci. Faire une fête, se changer les idées, secouer le quotidien, empêcher l'hiver de gagner !

— Félixe, on fait-tu un party ?

— Mmmmm ?

— On invite du monde, on pourrait faire quelque chose dans ta ruelle… ou pour ta fête ! C'est quand donc ta fête ?

— C'est dans deux mois ! J'étais au Pérou l'an dernier.

— C'est vrai. Mais on va te fêter maintenant, en novembre ! Je vais enfin rencontrer Béatrice, Mia, les autres… Comment elles s'appellent, les autres ?

— Non. C'est juste dans DEUX MOIS pis tout l'monde s'en tape de ma fête.

— Je vais t'organiser ça moi, tu vas voir ! T'as juste à me laisser les numéros de tes amies.

— Non, *no way*.

— Pourquoi ?

— J'ai pas envie que tu les rencontres. C'est des connes. On se voit presque plus. Pis quand on se voit, c'est poche.

— Mais me semble que… Tu fêtes ta fête avec elles chaque année. J'suis sûre que sont ben correctes… Quand tu m'en parlais…

— Non. Pas vraiment.

— Me semble que tu m'disais que… C'est tes amies, je suis ta blonde, je comprends pas…

— Regarde. T'sais, c'est comme ça ici, là, ce p'tit maudit bibelot de clown laid qui traîne sur ton étagère depuis mille ans.

— Heille ! C'est ma tante qui me l'a donné.

— Ben oui, exactement ! C'est un vrai monument de laideur, en fait ça devrait être interdit des objets comme ça, mais toi, tu le jettes pas ! Pas parce que tu l'aimes, pas parce que tu le trouves beau…

— Ben, euh, en fait, euh…

— … tu le gardes juste parce que ta matante te l'a donné…

— Euh…

— … et que tu veux pas qu'a braille parce que tu l'as plus, les fois qu'a vient te visiter ! Même si tu le trouves vraiment atroce.

— Ben…

— Bon ben, Béa, Ju, Heather pis les autres, c'est comme ça. On se voit parce qu'on se connaît depuis toujours, c'est tout. C'est pas intéressant.

— Mais c'est une partie importante de ta vie, de toi. Moi j'aime TOUTES les parties de toi.

— Non.

— Allez. Si ça se trouve, fin janvier, tu vas être dans le méga jus avec le processus de sélection de ta formation de coiffure à New York.

— Non.

— Pourquoi ?

— JARDIN SECRET. C'est tout. Point. On est pas obligées d'être absolument l'une sur l'autre tout le temps, et de connaître tout, absolument TOUT, l'une de l'autre, non ? Là j'ai pas envie de faire un party, pis ma fête c'est dans mille ans, je vois pas pourquoi on s'obstine là-dessus déjà !

— …

— Écoute, si tu veux vraiment qu'on organise ça, maintenant, le soir de ma fête, DANS DEUX MOIS, je verrai Béa pis les autres folles, comme on fait chaque année, le lendemain, on se fera un petit party chez toi. Intime. Ça va être chou. Tu nous feras un gâteau *weird* comme tu sais le faire. Celui betterave et machin…

— Cardamome.

— C'était pas mal champion. Ou de la fondue au chocolat. Ah oui, de la fondue !

— …

— Qu'est-ce que t'en penses ?

— …

— Tu dis plus rien ?

— Chut ! Attends… (Je m'approche de mon étagère.)

— Quoi ?

— Félixe, Réal, mon clown, il fait dire qu'il est plus ton ami !

Papa est bizarre, presque épeurant. Je le trouve, au retour de l'école, écrasé sur le divan, en pyjama avec un kimono par-dessus. Il fume, il joue de la guitare électrique, mais aucun son ne sort.

— Tu la branches pas ?

Il me répond pas. Il fixe la fenêtre.

— T'es-tu *game* d'aller jusqu'au bout, Fé ?

— De quoi ?

Lucie a encore ses grands airs qui m'inquiètent.

— De l'autobus ! On débarque pas, on va jusqu'au bout. Allez hop, on s'lâche lousses !

Et comme à l'habitude je réponds :

— O. K. Lu, on fait ça.

On a donc pas débarqué de la 55 Saint-Laurent à notre arrêt habituel. On est allées jusqu'au bout, comme on fait toujours avec les idées débiles de Lucie, une sorte d'expédition en zone urbaine, le nez collé à la vitre, pour voir la ville défiler et rire des passants qui se font arroser.

Mais notre escapade perd assez vite de son vernis exotique. Le temps est gris, les trottoirs humides et l'autobus met près d'une heure et demie à faire sa paresseuse traversée. Les petits commerces sur la rue laissent tranquillement place à de plus grandes bâtisses, puis à un quartier industriel un peu glauque, encore moins accueillant que celui où se trouve le Salon Rosa. Arrivées au terminus, coin de Louvain (?) et Saint-Laurent, on est vraiment dépaysées.

— Méchant trou. Par là, je sais qu'y'a déjà eu des usines de textile, ma mère allait là avant, mais y'a presque plus rien…

— Est-ce que c'est ça qu'ils appellent… LAVAL ?

— Ben non, Lu, c'est pas Laval ça. Attends, je vais aller demander à la chauffeuse si on peut rester dans l'autobus. J'ai pas trop envie de sortir. En plus, il neige-mouille, c'est vraiment déprimant.

Sans avoir à supplier la chauffeuse, on a pu rester dans le bus et attendre que ce soit l'heure de repartir en sens inverse. On s'est partagé une boîte de Smarties, puis l'autobus est reparti en direction de la civilisation polluée, surpeuplée et rassurante. Avec tout ça, il a commencé à faire noir et on a dû se concentrer sur ce qu'il y avait à regarder à l'intérieur de l'autobus: toutes sortes de monde, des gens de toutes les grosseurs, de tous les âges et de toutes les couleurs. Une belle femme enceinte, des bagues en argent à chaque doigt, se flattait la bedaine. Quelques vieux se relayaient sur le siège proche de la conductrice pour râler contre la température. Un enfant a oublié ses mitaines. Beaucoup trop de gens se parlent tout seuls.

Au retour, papa est en train de dormir sur le divan avec un toutou.

— Coudonc, tu travailles-tu, toi, ou tu t'es fait foutre à la porte ?

Papa se lève du divan comme s'il soulevait une montagne.

— Non, je me sens pas bien, je crois que j'ai attrapé une sorte de grippe rampante… J'ai mal partout, je suis fatigué… J'leur ai dit, à la *job*. Y'a pas de problème. Je prends *off* quelques jours, pis ça va aller mieux.

— Pis tes clients, le soir ? Est-ce qu'on va se faire une *run* de camion jeudi ?

Papa a déjà refermé la porte de son bureau.

Félixe suit le hockey avec son père depuis qu'elle est bébé.

— On la calait ici, ben comme faut, dans le creux du divan, et elle poussait des petits cris en même temps que nous quand le Canadien comptait.

Le hockey ! Je comprendrai jamais. Je fais des efforts, par amour, mais c'est pas naturel chez moi. En plus, c'est même pas les séries, je suis certaine qu'il y a juste Félixe et Michel qui écoutent le hockey à l'automne. Non, peut-être pas...

Pendant une pause, Félixe, mon aimable Félixe, me fait une bouillotte parce que j'ai mal au ventre (jours rouges). Elle m'apporte aussi une tisane qui sent les mocassins séchés.

Le match recommence, Michel et Félixe sont hypnotisés. Ils crient à la télé comme si c'était une très mauvaise personne :

— Envoye, envoye ! Grouille-toi l'cul, maudite marde !

Pauvre télé, elle va développer des complexes. Moi, j'arrive même pas à suivre la rondelle et je mélange les couleurs des chandails. Fin de la deuxième période, au moins on va avoir le temps de se parler un peu.

— Mon frère, ma sœur, pis moi, on se faisait tellement niaiser avec nos têtes de Péruviens. Même si moi, je suis né ici, pis que j'avais l'accent pis toute, je me faisais écœurer au boutte. Faque j'peux-tu te dire que je me suis vite mis à m'intéresser au hockey, à collectionner des cartes, à savoir le nom des joueurs par cœur. Ça a marché, j'étais assez aimé à l'école, j'avais des vrais amis... Ah, Félixe, parlant d'amis, j'ai oublié de te dire, tu devineras jamais qui est déménagé dans notre coin sur Maguire juste à côté du salon ? Béatrice, Béa ! Je l'ai croisée tantôt au dépanneur.

— Ah bon. Pis ? Qu'est-ce qu'elle t'a dit ?

— Rien. Elle est encore au pensionnat à l'autre bout de la ville. Ça va bien. Son père est revenu dans le coin pour le travail. Béa y va les fins de semaine pis les jours de congé. A fait dire bonjour, elle était avec sa blonde je pense. Une grande, noire, l'air super gentille. Je sais pas si elle a revu sa mère. Elle, imagine Fé, sa mère, la mère de Béatrice, elle était dans la marine marchande pis...

Soudainement, Félixe se lève, toute raide. Elle semble possédée par un mauvais songe. Elle va droit aux toilettes sans me regarder, en se pressant. Elle ne revient qu'au début de la troisième période, le Canadien a compté un but sans elle (ce qui est rare dans l'histoire de l'équipe depuis les 17 dernières années).

— T'as manqué un maudit beau but Félixe !

Elle entend pas, elle a les yeux rouges et bouffis comme si elle avait pleuré.

Premier grand froid. Tout ce qui était mouillé hier est gelé. Lucie et moi, on décide d'aller flâner à la Grande Bibliothèque sur la rue Berri, un immense bateau rempli de livres. Une sorte de petit vertige me prend quand je pense à tout ce que je n'ai encore jamais lu. On commence en douceur, par la section des BD. On s'évache dans les grands fauteuils confortables avec une pile de livres plus haute que nous. On lit, on jase, quand soudain, un homme, dans un fauteuil pas loin de nous, se met à tousser très fort, à s'époumoner. Il porte un ensemble de jogging usé et délavé, et à ses pieds se trouve un énorme sac à dos rapiécé avec une brosse à dents et un tube de dentifrice qui dépassent sur le côté. Lucie me chuchote :

— Regarde, là ! Là ! Y'en a pas un qui a l'air d'être ici juste pour lire.

Je me retourne et j'observe les fauteuils autour de nous. Ils sont tous occupés par des hommes, plus ou moins âgés, plus ou moins bien habillés, en tout cas sûrement pas assez pour le froid qu'il y a dehors. Beaucoup portent des casquettes et ce fameux sac à dos posé à leurs pieds, ou entre leurs jambes, comme pour pas se faire voler. Certains dorment, un autre regarde dans le vide, deux lisent, un plie et déplie la même feuille de papier en se parlant tout seul à voix basse. Pas de doute possible, Lucie a raison, on est entourées de personnes qui viennent à la bibliothèque beaucoup plus pour le chauffage et les sièges confortables que pour la grande littérature. Des itinérants probablement. On replonge dans nos BD pour pas trop les voir, et pour qu'ils se sentent pas démasqués.

Quand je rentre à la maison, je trouve mon père assis sur le divan devant la télé avec un coussin entre les jambes. Il a la même tête qu'eux.

Journée pédago. J'aimerais voir Félixe, mais elle est dans le jus depuis qu'un article à propos du Salon Rosa est paru sur le blogue de l'heure. J'ai même vu l'autre jour une file d'attente de deux personnes devant la porte !!! Wou ! Alors je dois me trouver autre chose à faire. Je flâne à l'atelier de ma mère. Je m'emmerde. Et je l'emmerde à force de m'emmerder.

— Va voir ta grand-mère.

— Va voir ta mère toi-même !

— Elle est orgueilleuse, elle le dit pas, mais tu sais, elle est très seule, même avec papi. Ça lui ferait du bien de te jaser ça.

— Nope. Pas la vieille bourgeoise. Non merci.

— Eh bien, va voir Yan.

— Plus de contact. Zéro. Ami parti.

— Eh bien va à la maison, Prune ! Va te faire fondre le cerveau devant les émissions d'après-midi, mais laisse-moi travailler !

— Peux pas, y'a déjà papa qui est là et qui prend toute la place sur le divan.

— Qu'est-ce que tu dis là ? Y travaille voyons !

— Ça, c'est ce que tu penses.

— Comment ça ? Bon, c'est quoi là ?

— Il va pas bien, papa, tu l'sais-tu ? Tu devrais t'inquiéter un peu moins pour ta mère et un peu plus pour ton chum !

— Ben non, je l'sais, y'é un peu bizarre ces temps-ci. C'est dur, pour lui, de faire un travail dans lequel il se réalise pas vraiment. Pis c'est le début de l'hiver, t'sais, on est tous un peu déprimés dans ce temps-là, mais j'le connais, c'est une phase. Jean, tu sais, c'est un grand émotif. Les émotifs sont, d'une certaine manière, chanceux, parce qu'ils ressentent plus fort les bonnes sensations de la vie, mais aussi, des fois…

— Appelle.

— Quoi ?

— Appelle à la maison. Tu vas voir. Y'é *éffouaré* sur le divan ça fait un bon boutte.

— Ben c'est ça, tu niaises là ?

— Pas du tout. Appelle.

— O. K. Ben oui, j'appelle, pas de problème… J'avais justement envie de parler à mon répondeur.

Maman prend le téléphone d'un air de défi.

— Étoile 67.

— Han ?

— Fais « étoile 67 » pour qu'il voie pas que c'est toi sur l'afficheur.

Ma mère s'exécute puis porte le téléphone à son oreille.

— Franchement… Bon, ça sonne ! Tu vois ? Ça sonne, ça sonne, ça sonne encore, dring, ça sonne, ça… JEAN ??? T'ES LÀ ? Mais qu'est-ce que tu fais à la maison à deux heures et quart ?…

J'imagine que la photo a toujours été là. Je l'ai juste jamais remarquée avant. Ou elle était cachée. Faut dire que sur la commode de Félixe, il y a un tas de cochonneries : bijoux, macarons, cartes de joueurs de hockey et même un cœur de pomme séché et verni. Un vrai bazar. Mais là, je sais pas pourquoi, je l'ai remarquée. Une petite photo de Photomaton, deux filles, une brune, une blonde, qui s'embrassent, les yeux fermés, devant un rideau orange fluo. La brune, je la reconnais, c'est Félixe. Elle doit pas avoir plus de 12 ans, la blonde c'est… Je retourne la photo et c'est écrit en rose, avec du lettrage ballon :

Félixe et Béatrice = L. F. E.

Félixe me rejoint et me parle par-dessus l'épaule :

— L. F. E. C'est pour *Love For Ever*. On était vraiment quétaines, han ?

— C'est ?

— Oui, c'est elle, Béatrice.

— *Love For Ever*… Vous étiez pas juste… Je veux dire, vous étiez des…

— Ouais… comme.

— Non, mais, je veux dire, elle et toi, vous étiez…

— Oui. Mais pas vraiment. Ça a pas duré si longtemps. On était des bébés.

— …

— T'sais, sa mère à elle aussi a sacré son camp quand elle était petite. On partageait ça. On jouait aux orphelines, des fois aux jumelles. Oh *yes*, t'imagines ? Jumelles ! Des fois aussi on se racontait qu'on était un couple, comme là sur la photo. Mais c'était une sorte de jeu, en tout cas… pour moi.

— Ah bon. O. K. Je savais pas.

— C'est rien. C'est pas important.

— Et pis comment ça… Pourquoi c'est fini ? Qu'est-ce qui s'est passé ?

— Ah, ben, je sais pas, j'ai juste plus voulu. Je me rappelle plus trop pourquoi. Je pense que je voulais pas… être comme ça.

— Tu veux dire « rosamoureuse ».

— Non, Fé, je veux dire « lesbienne », « gaie »,
« homosexuelle », pis toutes ces esti d'mots
d'marde qu'on dirait des maladies !

— …

— Ah pis j'sais pas, j'étais tannée d'elle, j'ai
juste arrêté…

— …

— Une fois, au parc, elle a voulu me prendre
dans ses bras, pis je l'ai poussée. Je l'ai engueulée.
Comme du poisson pourri. Elle pleurait en chien.
Ses cheveux étaient collés sur son visage avec
la morve qui coulait au travers. Je la regardais…
j'savais plus quoi faire, j'avais l'impression d'avoir
brisé le cœur d'un enfant… Mais c'est ça qu'on
était au fond, on était juste des *kids*.

— Pis les autres filles ? Heather, Julie, Mia,
les autres ? Est-ce qu'elles savaient ?

— Ben oui. J'te l'ai dit à cette époque-là,
on était folles. Dans mon souvenir, c'est comme
si on avait même pas d'parents ! L'été, les fins de
semaine, pis les soirs après l'école, on passait
notre temps à traîner dans les rues, on avait rien
à faire. C'est Heather, je pense, qui a eu l'idée de
nous improviser une sorte de rituel de mariage,
dans le champ où je t'ai emmenée, derrière le
salon. Sur une dalle de béton. J'avais une cou-
ronne de fleurs sauvages, pis un gros bouquet de
pissenlits. Je me souviens, j'avais les mains toutes
tachées de jaune après la cérémonie. Béa avait

mis un chapeau haut de forme pis son costume de patinage artistique avec des paillettes. On s'est fait saigner le doigt avec un bout de miroir pis on en a mis chacune une goutte sur un tissu qu'on a fait brûler dans une canisse.

— Wow, t'es mariée…

— Ouais, c'est ça, n'importe quoi ! On s'ennuyait, j'imagine…

— …

— Pis quand ça s'est terminé, ça a créé comme une sorte de froid entre nous. Ça a brisé quelque chose dans notre petit clan. Y'en a qui se sont fait des chums… Béa a déménagé. Elle va au pensionnat. Maintenant on se revoit pas souvent, mais c'est… C'est *weird*. À chaque fois, c'est vrai que ça nous fait du bien de se voir, mais souvent, c'est juste vraiment trop pathétique comme une genre de répétition de quelque chose qui est mort depuis longtemps, comme… des funérailles.

Papa est de plus en plus transparent. Il se promène avec son pyj' délavé d'une pièce à l'autre. Je crois l'avoir vu foncer dans un mur, l'autre jour, en tournant le coin du corridor. Dans son bureau, il a tassé tous les instruments et, directement sur le sol, il a entamé un gigantesque casse-tête de genre 18 000 morceaux. Un paysage poche de forêt verte, avec une chute, des roches avec de la mousse et des champignons dessus, et le soleil qui passe entre les branches des arbres. Manque juste un elfe.

Papa entre dans son bureau, cigarette à la main, il fixe son casse-tête un long, long moment. Il prend une pièce, la place, puis sort de son bureau aussitôt.

Aujourd'hui, il neige. Pour le vrai. Les gens sur l'avenue du Parc sont comme fous. J'aurais envie de marcher dans mon quartier jusqu'à me perdre, mais comme je suis en jupe (sans collant) et en bottes de pluie, je préfère attendre sagement l'autobus. Il y a de la glace sur les trottoirs, des genres de croûtes. Je les ausculte, au cas où je trouverais un trésor, une lettre d'amour, un dix piasses, une bague en or. Puis, près de l'abribus, j'aperçois quelque chose qui brille, comme un sou doré.

— Commencer l'opération Récupération du Trésor canadien.

Je me penche pour regarder. Effectivement, c'est un trésor canadien : un beau dollar tout neuf, tourné côté reine. J'essaie de le déloger. Il se laisse pas faire, pire qu'un mammouth pris dans les glaces éternelles. Je casse la neige durcie avec le talon de ma botte. Je sors mes outils, mon trousseau de clés, et je me penche pour mieux lutter contre mon adversaire.

— Quand les fesses de Fé voient leur ombre, c'est signe que l'hiver va être long…

— Yan ? Yan ! Yan…

— Beau *show*. Toute l'avenue du Parc sait maintenant que tu portes des bobettes noires.

— Je. Y'avait un truc pogné dans la neige… Un sou. Tu… tu vas bien ? T'es beau. Tu fais quoi ? T'arrives d'où ?

— Là, je m'en vais voir Fleurette. Toi ?

— Je m'en vais à l'atelier.

— O. K.…

— O. K.… Toi ?

— Quoi ?

— Ben c'est qui, Fleurette ?

— C'est ma petite amie.

— Ah bon… Dans le sens de…

— *Petite* amie: 4 pieds 9 pouces, 92 ans, on joue aux cartes ensemble. Je l'aide aussi à trier sa circulaire, pour les coupons.

— Ah ! Bon.

— Toi ?

— Moi quoi ?

— Comment donc ? Félixe ! Tu vois-tu encore ta Félixe ?

— Oui. Non ! Non. J'veux dire, je la vois encore des fois, mais c'est pus… non…

— Ah bon.

— Non… c'est… vraiment…

— O. K. Bon ben, en tout cas, je suis content de t'avoir vue, Fé. Joyeux Noël si on se revoit pas.

Il s'approche de moi et m'embrasse sur le front.

— Bye Yan.

Il traverse la rue et repart en direction nord. Je l'observe. Il porte un pantalon brun de style pantalon de bowling, des bottes en loup marin, une vieille et épaisse veste de laine beige avec des poches en suède, un foulard carreauté rouge. Il a de belles épaules et de grandes jambes élastiques, et ses cheveux blonds ébouriffés d'éternel enfant. Il fait tous les âges, ce Yan : il est habillé comme un petit vieux, il a une tête d'enfant et un corps d'homme. Je pense que je m'étais ennuyée de lui. Mais là, il est rendu trop loin pour que je lui dise.

Soudain, ça me revient : « Non, je suis pas avec Félixe. Non, je la vois des fois !!! » Je sais pas pourquoi j'ai dit une niaiserie pareille, mais j'ai soudain juste envie d'aller me cacher en petite boule dans l'abribus.

Noël à l'hôpital, oh *yes* ! Ce jour-là, on était invités à fêter chez les Aristochats. Maman était très nerveuse, la preuve, elle avait mis une robe et des talons hauts. C'est toujours mauvais signe. Je crois qu'elle avait peur que mon père déconne solide devant sa famille de coincés. D'ailleurs, sur le pas de la porte, avant d'entrer, on a tous reçu nos consignes respectives. Papa a été averti qu'il devait se comporter « normalement » :

— pas de larmes,
— pas de cigarette,
— pas de politique,
— pas de nudité (?).

Et Félixe et moi avons été sommées d'y aller mollo sur le tripotage :

— pas de becs,
— pas de *french*,
— pas de mains dans les vêtements,
— pas de regards qui en disent long.

Bref, personne était dans son état naturel. Et on sait ce qu'on dit à propos du naturel et de son léger penchant pour le galop…

La catastrophe s'est pas fait attendre : en entrant dans la maison, maman s'est enfargée, avec ses talons hauts, dans le tapis *Welcome*. Elle a foncé, droite comme une comète, sur le contre-mur, tête première, dans le miroir antique qui s'est littéralement désintégré. Sept ans de malheur, et on avait même pas encore enlevé nos manteaux !

Monsieur Fisher, le « voisin » (lire « *chum* ») de mon grand-oncle Henri, est venu nous conduire à l'urgence dans sa splendide Cadillac 1972 rouge vin et or. Ma grand-mère nous avait préparé un plateau-repas rempli de victuailles provenant du buffet, et recouvert de papier d'aluminium.

On était beaux à voir, tous les quatre, assis en ligne sur les chaises brunes de l'urgence : ma mère avait l'air d'une secrétaire-meurtrière en talons hauts et petite robe chic imbibée de sang, le front ouvert, mon père en crise d'hypocondrie avancée, la tête entre les jambes à se parler tout seul, et Félixe et moi, affamées, pigeant tristement dans le plateau-repas avec nos doigts, elle cherchant la viande ; moi, les légumes et les féculents.

Bon ben Joyeux Noël tout l'monde !

Le jour de l'An s'est un peu mieux passé, quoique… Je suis allée coucher chez Félixe. Dans sa chambre, un vieux *bluesman* nous chantait son chagrin à tue-tête. On a sauvé de la neige une boîte remplie de vinyles, abandonnée dans la ruelle. (Faudrait se partir une compagnie : sauvetages de ruelles en tous genres.) On les écoute tous, à la recherche d'un trésor musical. Une sorte de concours. Félixe lance devant moi sur le lit une pochette de disque :

— Je pense que c'est celui-là qui gagne. Cette toune-là, c'est trop fou. Écoute. En tout cas, moi, ça me donne envie de pleurer ma vie.

Elle ouvre une fenêtre et allume son petit bout de cigarette.

— Je sais pas, j'aimais bien aussi la madame de tantôt avec sa voix rauque.

— Celle avec les boucles d'oreilles en plastique ? Ouais, mais lui, écoute comme c'est beau et triste en même temps. Sa musique fait comme des courbes, des ondes.

— Hé, il doit être minuit. Bonne année.

Elle se retourne vers moi, s'approche et m'allonge sur le lit délicatement puis enlève mon chandail. Elle prend un rouge à lèvres et se met à me tracer dessus des lignes, des trajets inspirés par la musique et les courbes de mon corps. Les endroits qu'elle couvre deviennent froids, et ça me donne la chair de poule. Félixe calme ma peau en l'embrassant de petits baisers chauds. Lorsqu'elle se relève, ses lèvres sont ridiculement rouges.

— T'es belle.

— Toi aussi. Viens voir.

Je me regarde dans le miroir. Je suis toute bariolée.

— J'ai l'air d'une Amazonienne.

— Ça te va bien.

Tiens, je remarque que la photo de Béatrice est plus sur la commode. Je me dis que Félixe a peut-être fait la paix avec son passé.

— O. K., on va voir, toi maintenant !

Je lui enlève son chandail et je me colle sur elle pour imprimer les motifs de mon torse sur le sien. Je l'embrasse fougueusement. Elle résiste en riant, on tombe dans le lit. Mais comme je suis plus lourde qu'elle, elle est ma prisonnière. Un instant, mon regard est attiré vers la tête du lit, vers quelque chose de petit, vaguement orange et carré. La photo. Celle de Béatrice et de Félixe. Elle est là, dans le lit. Elle me regarde. Elle devait être cachée sous l'oreiller que je viens de soulever.

Fé,

18 ! J'y pensais plus. Je sais pas pourquoi, mais je viens de réaliser que tu vas avoir 18 ans !!! Tu vas devenir une adulte ! Ce vendredi ! Sans moi ? Je l'sais, on va se voir le samedi, je l'sais, j'ai l'air d'une grosse jalouse (je suis probablement une grosse jalouse), mais je comprends pas pourquoi tu veux pas que je sois là, avec tes amies d'enfance, pour te fêter, t'aimer, te vénérer. Explique-moi please.

XOX

Fé

Ma Fé,

Je te promets d'attendre que tu sois là samedi pour devenir adulte.

Xoxox

Fé

Lu et moi, on s'est improvisé une terrasse privée sur le trottoir en face de chez nous pour boire un thé chaud avec des mitaines et s'adonner à notre sport préféré : l'observation humaine. Sur la rue enneigée, ça gigote de partout : des poussettes, des chariots en plastique, plein de familles, dont beaucoup de juives. La présence des Juifs hassidiques dans le quartier est importante, et donne une couleur particulière au Mile-End. On les remarque facilement, avec leurs vêtements foncés et leurs chemises blanches ; les femmes portent souvent des perruques ; les enfants, des habits longs. Les jeunes garçons ont la tête rasée avec deux boudins à l'avant de leur kippa, et certains hommes arborent d'imposants chapeaux ronds en poil. On dirait que toute cette petite foule appartient à une autre époque. Le contraste avec la modernité du reste des habitants de la ville est chouette. Sur la rue Saint-Viateur, on dirait qu'on passe deux films en même temps, un en couleurs et un en noir et blanc.

— J'ai une idée de grande aventure pour nous, Lu.

— Quoi ?

— Espionnage.

— Industriel ?

— Non.

— Politique ?

— Non.

— Ah, *shit* ! Quoi d'abord ?

— Amoureux.

— Mmmmm espionnage amoureux. Qu'est-ce qu'il en pense, notre Maître Spirituel ? (Elle fouille dans sa poche et en sort un biscuit chinois écrasé.) « L'ensemble de l'Univers est à votre portée. »

— Donc, je pense qu'il dit que c'est O. K.

— Je dirais que oui !

Heureusement qu'il ne fait pas vraiment froid aujourd'hui. Lucie a installé, à quelques mètres de l'échelle, un trépied avec une caméra portative dessus.

— Au moins, si on tombe, on fera du fric avec la vidéo sur le Web.

Je dis rien. Je dois rester concentrée sur la super grosse niaiserie que je m'apprête à faire. Un seau, à l'envers, posé dans la neige. Une échelle posée dessus (pas bonne idée, vraiment pas bonne idée) qui monte en direction de la chambre de Félixe, et moi qui prie pour que tout ça tienne. Comme on est dans la ruelle, un millier de gens derrière leur fenêtre nous regardent sûrement et pensent en ce moment même à appeler la police ou, pire, Michel ! « *Oui, allô, Michel, c'est parce qu'il y a deux filles qui ont l'air un peu désaxées qui sont montées dans une échelle sur ta maison. Je sais pas si elles veulent rentrer par la fenêtre ou se suicider… parce que ça semble pas très stable, cette échelle… Tu devrais aller voir… on dirait qu'elles se filment en même temps…* »

— Vas-y, Fé, t'es la championne, l'Univers est à ta portée ! Dis bonjour à la caméra.

— Ta yeule.

— Dis bonjour.

— Ta yeule. Chuuuttttt !

— Allez… qu'est-ce tu fais ? Pourquoi tu descends ?

— Je suis pas capable, Lu. Je peux pas y aller. Monte, toi.

— Hé merde. Non ! Fé. Toi. C'est TON plan.

— Je peux pas… c'est trop, j'ai peur de ce que je vais voir.

— O. K., mais tiens bien…

— Oui, oui, promis, je vais super bien tenir l'échelle, t'as pas à t'inquiéter…

— Non, la caméra !!! Pis oublie pas de filmer, si je tombe…

— O. K. Lucie, je vais faire ça. Tiens, enlève ta tuque, j'ai apporté mon casque de vélo, au cas… Vas-y. Sois SUBTILE quand même, han ?

— Oui, oui, *subtile* comme dans : je suis en train de monter *subtilement* le long d'un mur, dans une échelle posée *subtilement* sur un seau en plastique mauve, avec un casque de vélo posé *subtilement* sur ma tête, pour espionner *subtilement* ta blonde…

— Ta gueule, j'ai dit !

— Wouhou.

— Quoi ?

— C'est le bordel, là-dedans. C'est quoi ces quatre cent mille coussins ?

— Baisse-toi, elles vont te voir.

— Non, non, elles sont dans l'autre pièce. Je les vois, là, au fond.

— Pis ?

— Han ?

— Qu'est-ce que tu vois ? Entends-tu quelque chose ?

— Musique poche des années 80.

— Pis ?

— Pyjamas Party. Invasion de rose. Je pense que je vais saigner des yeux. Cris de poulettes en chaleur. Faux micro avec une bouteille. On dirait une pub de bière… Bon elles viennent autour du lit. Tiens, Pitoune numéro 1 sort des trucs de sa sacoche. Je vois pas c'est quoi.

— Pis Félixe ?

— Félixe ? Eh ben, elle est là, elle a l'air heureuse. Elle danse sur son lit. Toutes les autres filles se rassemblent autour de Pitoune numéro 1. Elles sont un, deux, trois… cinq pitounes au total, plus Félixe. Mais je vois pas c'est quoi que Pitoune numéro 1 a sorti de son sac. Tasse-toi, Pitoune numéro 4, tasse-toi maudit ! Bon, merci… Ah, on dirait des petites marionnettes. Wow, Fé, je pense que ta blonde te trompe le vendredi soir pour jouer avec des marionn… Ah, c'est *cute*, c'est comme des peignes à cinq branches en mousse… C'est tout mignon, blanc, un peu minimaliste… Les filles en ont toutes deux chacune. Félixe enlève ses bas, elle se met en petite boule au milieu du lit, les autres filles s'assoient autour… pis… On dirait un genre de rituel *weird*. Pitoune numéro 2 apporte une boîte. Les filles sont toutes énervées… Félixe ouvre la boîte pis… Ah non ! Au secours ! Non, AH ! C'est pas vrai !

— Quoi ?

— C'est PAS vrai ! Tu me niaises, là ? Non !

— QUOI ??? Tu veux que je monte ?

Lucie redescend de l'échelle l'air complètement traumatisée. Elle me met une main sur l'épaule et me regarde, consternée :

— Je sais pas, Fé, vaut mieux pas que tu montes là. C'est pire que ce que je pensais…

— Quoi, que quoi ?

— Je pense qu'elles sont en train… de se mettre du vernis à ongles sur les orteils.

On a mangé nos sandwichs d'espionnes à la lueur du lampadaire de la ruelle, au pied de l'échelle. Ça faisait une bonne heure qu'on était là, et rien de spécial était arrivé. À l'intérieur se déroulait un stupide party de filles que Lucie a qualifié de «Cocottes Party». À l'extérieur, les quelques voisins curieux semblaient s'être habitués à notre présence, personne avait appelé la police ni Michel. À ce stade-là, nous avions plus peur de rien, même pas de se faire pogner par Félixe.

On a rangé l'échelle et le seau empruntés dans la *shed* du voisin. On commençait à avoir froid.

— On aurait pu faire une genre de cascade, pis toi tu me filmes en même temps…

En sortant de la ruelle pour passer devant la porte de la maison de Félixe, on voit une fille, cheveux très longs, blonds, dont le visage est caché derrière un immense bouquet de fleurs blanches emballé dans du plastique transparent. Elle sonne à la porte de Félixe.

— Lu, on se planque !

Cachées derrière une benne à construction, on regarde la scène. La porte s'ouvre dans la nuit:

— Féliiiiiiiiixe, tu vas être contente, y'a Béatrice qui est là !

Cris stridents au loin.

— Entre, sont en haut.

Fermeture de porte.

— O. K., Lu, vas-y. Moi, je pense que je vais rester encore un peu.

En composant son numéro, j'ai un mauvais pressentiment: « Elle sait » que je me dis. Au téléphone, j'ai une voix un peu trop aiguë, on peut entendre le mensonge chercher à se faufiler entre mes cordes vocales.

— C'était l'fun hier, ton partyyyyyyyy ?

— Je sais pas, toi, comment t'as trouvé ça ?

— … J… sais… pas, je…

— T'as dix minutes pour venir ici et m'expliquer pourquoi ma voisine t'a vue faire « des travaux » sur ma maison jusqu'à une heure et demie du matin. Dix minutes.

L'engueulade fut mémorable. Avec des choses qui r'volent et tout. Faut dire que Félixe s'y connaît en matière de drame, on sentait qu'elle avait pratiqué plusieurs fois dans sa vie. Faut dire aussi que je l'avais cherché. Je revois Lucie dans l'échelle posée sur le seau, avec mon casque de vélo sur la tête, moi qui filme, et la honte me monte encore jusqu'aux oreilles.

Pendant que Félixe gueulait, je cherchais une sortie, une manière de suspendre les hostilités, en détournant l'attention. J'avais beau m'excuser, employer mes mots les plus doux, elle avait l'air de vouloir rester pompée. Puis une occasion s'est présentée, un bref moment d'accalmie où elle s'est assise sur son lit, et je l'ai saisie. D'un geste de couleuvre, j'ai réussi à rentrer dans son chandail et à reconstruire notre tente d'amour juste pour nous deux. Félixe a résisté quelques secondes, puis nos deux corps se sont reconnus. On a passé une partie de l'après-midi roulées l'une dans l'autre à sécher nos larmes et à lécher nos blessures.

En fin de journée, j'étais remise de mes émotions. Dehors, Montréal avait la tête blanche, comme une petite vieille. C'était elle, la fameuse et impitoyable tempête de janvier ! Les rues étaient paralysées. Félixe m'a prêté un foulard et des bas chauds, puis on a bravé le vent et le froid de canard pour se rendre courageusement jusqu'à l'épicerie, choisir des fruits pour la fondue. J'étais heureuse. Seulement, je sentais que Félixe portait encore quelque chose de sombre en elle. On aurait dit qu'une ombre la suivait.

Ma première engelure. Et c'est au cœur que j'ai été touchée. Même si le temps l'a colmatée, j'ai encore mal à ma cicatrice chaque fois que je me rejoue la scène.

INTÉRIEUR – APPARTEMENT DE FÉ –
DÉBUT DE SOIRÉE

Forte neige que l'on voit tomber par la fenêtre du salon. Fé et Fé entrent les bras chargés de sacs. Elles laissent leurs bottes dans l'entrée, lancent leurs manteaux sur le divan. Elles ont apporté tout ce qu'il faut pour faire une fondue au chocolat royale. Fé va aux toilettes pendant que Félixe commence à laver les fruits. En revenant à la cuisine, Fé constate que le pyjama de son père traîne dans le corridor.

— Tiens, papa a mué... Papa? (*pas de réponse*) Enfin! S'il peut aller se promener, lui, prendre un peu d'air, ça va lui faire du bien.

— T'as un gros couteau pour le cantaloup?

Une sorte de tension est palpable entre les deux filles.

— Oui, ici.

Préparation de la fondue dans un silence presque troublant.

Fé va mettre de la musique, en revenant elle embrasse Félixe dans le dos, celle-ci se retourne :

— T'es folle. Tu sais que t'es folle? Fais-moi plus jamais ça, m'espionner de même. À quelle heure au juste t'as arrêté?

— Tu penses encore à ça?

— Qu'est-ce que tu voulais découvrir?

— Je t'espionnerai plus. Promis.

Gros plan sur le plateau de fruits qui commence à se remplir.

— Non, mais t'sais, quand même...

Fé écoute plus Félixe, son regard se fixe sur l'entrée. Son visage blanchit et s'étire.

— Qu'est-ce qu'il y a? Fé?

— Ses bottes... Papa? Pa? (*Elle va baisser le volume de la musique.*) Il neige, il peut pas être parti sans ses bottes. Pa?

Fé plonge dans l'obscurité du long corridor.

— Papou?

*Au fur et à mesure qu'elle avance, son
cœur se met à battre plus fort. Félixe la suit
de loin, derrière, intriguée. Fé ouvre la porte
du bureau de son père, allume la lumière, pas
de papa. Elle referme. Elle ouvre ensuite la
porte de sa propre chambre, non, pas de
papa non plus. Reste plus qu'une porte,
celle de la chambre de ses parents. Elle se
dirige vers le fond du couloir. Ses jambes
ramollissent. Elle dit, pour se rassurer :*

— Il doit dormir.

*Elle pousse la porte de la chambre. Elle
cherche la lampe de chevet dans l'obscurité
en tâtant, elle regarde les ombres, cherche
les masses compactes. En ouvrant la lumière,
elle sait déjà que la pièce est vide. Pourtant,
elle est pas tout à fait soulagée.*

— C'est *weird.* Y'est où?

— Viens, on va appeler ta mère. A doit savoir
où y'est parti.

— O. K., oui.

*Fé remonte lentement le corridor en sens
inverse. Elle sent pourtant intuitivement
que c'est pas la bonne chose à faire. Dans la
chambre de ses parents, tout était à sa place,
mais quelque chose manquait. Elle essaye
de comprendre le trajet qu'a emprunté son
père. Pyjama ôté, bottes pas mises. À ce*

moment-là, la réponse arrive, claire,
puissante et insoutenable.

– PAPA!

Fé repart à la course en sens inverse en
direction de la chambre de ses parents,
elle ouvre la porte, allume la lumière, fonce
jusqu'au bout de la pièce, ouvre en grand
fracas les épais rideaux de la porte-patio,
puis tire sur la lourde porte de verre.

Son papa est là, nu, en petite boule, sur le
balcon arrière, couché entre deux sacs de
vidanges, de la neige dans ses cheveux,
de la neige partout sur son corps long,
maigre et inerte.

Notre maison est un quartier général. Le téléphone sonne sans arrêt, la porte d'entrée s'ouvre
et se ferme. Michel vient nous livrer de la soupe
et repart, la voisine arrive avec des muffins, tout
le monde appelle, les tantes, les oncles, l'hôpital.

Ma mère est assise sur le divan avec un verre
de vin depuis près de 12 heures. Son manteau est
encore derrière elle. Entre deux téléphones ou
deux sonneries, elle pleure un peu ou beaucoup.
Je lui apporte de l'eau, des granules homéopa-
thiques, du vin, des mouchoirs, et bien sûr, le

téléphone, auquel elle répète comme un perroquet les mêmes maudits mots :

— On sait pas. Il est en évaluation. Ils lui ont donné un truc bien solide pour qu'il puisse dormir, il a vu quelqu'un hier, il revoit un autre genre de psy tantôt, et j'aurai le droit d'y aller juste demain. Mais il dort. C'est ça qu'il faut... Le reste, c'est juste des petites engelures.

« Engelures », quand j'entends ce mot, je frissonne. Je pense aux fruits que je coupais pendant que papa se faisait lentement brûler la peau par le froid.

Un fruit = Une « petite » engelure.

Des fois, dans un rare moment de silence, maman regarde le mur, elle marmonne tout bas, puis elle se rappelle que j'existe :

— Viens ici, ma Prune, ma pauvre Fé, quand je pense qu'on te fait vivre tout ça. Dis-moi, ça va, toi ?

— Oui. Tu veux d'autre vin ?

— S'il te plaît, Prune.

On réussit à dormir vaguement entre une heure du matin et sept heures. Puis au petit matin, le téléphone se remet à sonner.

— Tu me l'apportes, Prune ?

Je lui tends le téléphone et maman reprend sa musique. Curieusement, ça semble lui faire du bien de répéter les mêmes choses sans arrêt.

Peut-être que ça les rend plus réelles au fur et à mesure qu'elle les nomme.

— Non, on sait rien. Mais il dort, il dort, c'est ça qui est important.

Soudain, un grincement, bien connu, venant de l'extérieur de l'appartement se fait entendre. La boîte aux lettres. Je laisse le temps à la « messagère » de s'éloigner. Ça fait partie du jeu.

Allô Fé,

Je veux juste te dire que je pense à toi et que je suis vraiment triste pour ce qui vous arrive. Voir ton père comme ça, ça m'a fait un choc. Mais t'es forte, et je suis certaine que ça va bientôt aller mieux.

Je te propose de te laisser tranquille un petit moment pour que tu prennes soin de toi et de ta famille. De mon côté, je vais prendre du temps pour moi, pour me recadrer. J'ai mon portfolio à finir et tu sais, je cherche une sorte de stabilité dans ma vie... C'est pas la fin de nous, j'ai juste besoin de temps, c'est important pour moi.

On se redonne des nouvelles bientôt, prends bien soin de toi.

X Fé

«Important.» Le téléphone sonne encore et maman se lève avec le combiné entre l'oreille et l'épaule pour se servir un verre. À ce moment-là, je décide que si chacun fait ce qui est «important» pour lui – papa dort, maman radote, Félixe prend du temps pour elle –, moi itou, j'ai le droit de faire ce qui est important pour moi. Et en ce moment, ce qui est important, c'est de sacrer le camp d'ici, sinon moi aussi, ils vont me rentrer à l'asile!

— Maman… je vais à l'école.

— Attends juste un instant Clara, Fé me parle… Que, quoi?

— Je m'en vais à l'école.

— Non! Ben voyons, tu vas pas aller à l'école!

— J'ai manqué deux jours, c'est assez, je m'en vais à l'école.

— On va aller tantôt ensemble à l'hôpital. T'es toute bouleversée, là, t'as pas dormi, qu'est-ce que tu vas aller faire à l'école? Reste ici.

— Je m'en vais à l'école. Je reviens à trois heures et demie. Et j'irai pas à l'hôpital. Tu lui diras que j'ai hâte qu'il rentre à la maison. C'est tout. Bye.

— Fé!

— Bye.

— Mais dehors y'a une temp…

Journée scolaire chaotique. La tempête se poursuit. Il manque un prof sur deux, y'a des pompiers, des policiers et des ingénieurs sur le toit de la bâtisse. Ça a été facile d'obtenir la permission spéciale d'aller «pratiquer» toute seule pour notre prochain concert dans le local de musique. Je suis couchée au sol, en cuillère avec Babouche, mon fidèle violoncelle. Je vais pas bien. Je sens monter en moi la crise d'angoisse : mon cœur bat vite, je me sens mal, j'ai l'impression que je suis en danger, que je devrais me sauver. Mes mains tremblent légèrement, tout autour devient surréel. Attaque de panique. Je connais bien cette sensation, depuis que je suis toute petite. Je sais qu'on n'en meurt pas. Je sais que c'est là, comme un indice. Trop de stress. Trop de tout. Ça passe. Je me remémore le livre que j'ai lu là-dessus, les étapes. Faut accepter, accepter que la peur est là, comprendre qu'elle va pas durer toujours, respirer dedans, puis se changer un peu les idées. Je me concentre alors sur un passage plus difficile de mon répertoire pour le spectacle. Je me lance le défi de jouer la pièce couchée au sol. Pas simple, surtout avec les doigts qui tremblent. Mais je force mon esprit à se concentrer sur les sons, sur la partition. Je respire en même temps que la musique. Mon cœur se calme. Je pince les grosses cordes, et ça fait vibrer mon corps et celui de ma grosse patate de violoncelle. Quelque chose se décoince dans ma poitrine, et ouvre les vannes. On pleure ensemble, Babouche et moi, et ça fait du bien. Tantôt, j'appellerai Félixe pour lui dire que c'est une conne et que je l'aime. Ah, et puis non.

Chers parents,

Des problèmes graves sur la toiture de notre polyvalente nous forcent à prendre des mesures extraordinaires pour mener à bien des travaux urgents de déneigement et de réparation. Nous désirons donc vous annoncer que dès mercredi, l'horaire scolaire sera modifié afin de permettre l'avancement rapide et efficace des travaux. Les cours se dérouleront de 8 h à 13 h, avec deux pauses habituelles, mais sans pause de dîner. Les élèves auront congé tous les après-midi jusqu'à nouvel ordre. Nous sommes conscients que ce nouvel horaire supprimera une heure d'école par jour aux élèves, mais nous sommes déjà à travailler pour trouver des solutions éventuelles de rattrapage.

Il est difficile d'évaluer exactement le temps que dureront ces mesures en raison du climat hivernal qui complique les opérations. Soyez toutefois assurés que nous souhaitons, tout comme vous, la reprise rapide de l'horaire régulier.

Nous nous excusons pour les inconvénients liés à cette situation extraordinaire et hors de notre contrôle. Nous vous rappelons que l'enjeu concerne la sécurité des élèves et du personnel. Nous vous invitons à suivre l'évolution des travaux en restant branchés sur l'actualité de notre école par l'entremise de notre site Web.

Sincèrement,
La direction

Ce jour-là, il y a eu des madames fâchées à la télé, et des monsieurs en beau maudit à la radio : « Mon enfant va manquer une heure d'école par jour, non ! Son cerveau va ramollir ! Il va tomber dans l'enfer de la drogue, il sera jamais médecin ! » Mais au bout du compte, personne pouvait vraiment contredire les sages paroles du premier ingénieur qui a visité l'école :

— Si tu veux pas que ton toit te tombe drette su'a tête, t'es mieux d'enlever la neige pis de l'réparer, et pis ça presse !

Assises, devant l'école, sur le dossier d'un banc recouvert de neige, Lucie et moi, on regarde au loin les voitures passer sur la rue grise. Il est une heure, et on a terminé notre journée d'école.

— Par quoi on commence ?

— Quoi ?

— Notre aventure !

— Quelle aventure ?

— La liberté.

— Tu veux dire nos demi-journées frettes pour glander ?

— C'est un cadeau, Fé, faut pas le rater. La vie nous offre un temps, juste à nous ! Tu réalises pas à quel point… T'sais qu'on va à la garderie depuis qu'on est des bébés, han ?

— Oui.

— Ensuite, c'est l'école, cinq jours semaine, comme des malades. Pis ça dure, ça dure : primaire, secondaire, cégep, université. L'été, c'est les camps de jour ou pire, des sortes de camps de concentration en nature où ils nous forcent à faire de l'hébertisme…

— Je sais, Lucie, ils t'ont tuée avec l'hébertisme, mais…

— Les *jobs* d'été, les cours d'été, blabla, pas de *break*, jusqu'à ce qu'on puisse devenir des petits travailleurs-robots, avoir des enfants, un, deux, trois, pis se réveiller à 75 ans fatiguées, presque mortes, avec des petites jambes d'écureuil qui avancent comme ça, là, regarde… han ? Regarde.

— Mmmm.

— Je te niaise pas, j'ai vu une madame, l'autre jour, au marché (Lucie relève un peu ses trois jupes pour que je voie ses jambes pendant qu'elle mime ce qu'elle croit être une démarche d'écureuil centenaire) : des petites cannes maigres, fatiguées, qui avancent, couic, couic, couic, regarde.

— O. K., Lucie, oui, oui, j'ai compris. T'as raison. Faut profiter. Carpe Diem. Pis, qu'est-ce que tu suggères, on fait du deltaplane à poil, on vole une banque ? Par quoi tu veux qu'on commence notre grande vie d'aventure ?

— Dépanneur. Smarties. Format familial.

— O. K., *boss*.

— On décidera ensuite.

— O. K.

— On achètera peut-être un gratteux…

— Un gratteux ?

— Pour gagner un voyage… à Cuba… Tu sais que j'ai lu…

Lorsque j'annonce à ma mère que j'ai plus d'école l'après-midi, et ce, pour un maudit bon bout, elle répond :

— C'est fantastique ! Parfait. Formidable.

— Ah bon. Je sais pas, t'as pas, euh… T'as pas peur que je devienne jamais médecin ?

— Si tu deviens médecin, je te renie!!! C'est tous des maudits… de maudits de… En tout cas… Non, je trouve ça formidable que tu sois en congé l'après-midi, c'est parfait…

— Bon ben…

— Tu vas pouvoir garder ton père.

Je prends quelques secondes pour assimiler cette phrase. Je suis pas certaine d'avoir bien compris.

— Je commençais à trouver ça compliqué les allers-retours pour m'occuper de ton père, mais maintenant, quand tu rentreras l'après-midi, vu que t'as pas d'école, tu le surveilleras pour pas qu'il fasse de niaiseries. Tu pourras aussi le sortir les jours où il fait pas trop froid, ça m'inquiète qu'il reste toujours enfermé, c'est pas bon pour le moral. Surtout lui, tu sais combien il a besoin de grand air…

— … mais…

— Une ou deux fois, il faudra que tu l'emmènes chez madame Moera. Vous prendrez le taxi.

— Ah, non, pas la voyante avec ses nounours!

— Il faut ce qu'il faut. Tu penses-tu que les docteurs comprennent quoi que ce soit à ce que vit Jean, présentement? Non, madame. Ils s'en foutent. Ils sont juste trop pressés de tester la dernière maudite pilule sur le premier désespéré qu'ils trouvent. Tu sais, les médecins et les compagnies pharmaceutiques, ça couche ensemble,

Fé! Je te jure! Non. On va pas le laisser entre les mains de ces alchimistes-là. *No way*! Ils ont eu mon père, tu le vois aujourd'hui, c'est presque un légume…

— Papi?

— Non, non, non, ils auront pas ton papa, Fé! On va le guérir, lui. Une dépression, ça peut être long, mais ça se GUÉRIT. Y'en a même qui en ressortent grandis.

— Moi j'ai toujours pensé que papi était juste… très *vedge*, mais pas…

— Tu vas voir, si tu m'aides, si on montre qu'on est une famille unie, une vraie équipe, on va le sortir du trou, notre homme.

Et c'est comme ça que mon dernier moment de liberté (avant de devenir un écureuil fatigué de 75 ans) a été remplacé par une *job* de « papa-sitting » intensive.

Papa dort. Papa se réveille. Il boit un peu de thé que je lui réchauffe au micro-ondes, il mange parfois une biscotte. Il va dans son bureau, place un morceau de casse-tête, puis ressort de son bureau. Papa s'allume une cigarette, il va la fumer sur le balcon arrière, en pyjama, avec ses bottes de pluie.

— Papa, va plus sur le balcon, O. K. ? Tu peux fumer en dedans. Je m'en fous, je vais juste ouvrir la fenêtre.

Élisabeth II est cachée. J'ai hâte que maman rentre à la maison. Félixe m'a pas appelée. C'est une conne, et je l'aime.

Thérapie auditive. Pendant que papa fixe la fenêtre, je lui place des écouteurs sur les oreilles.

De la musique, on dit que ça peut réveiller les morts. Surtout forte de même !

Je dors avec papa sur le divan. Il se lève. Je réalise qu'il est plus là. Je fonce jusqu'à son bureau, et je le vois, par l'entrebâillement de la porte, assis parmi les pièces de son casse-tête. Mon cœur se calme.

Quand on s'ennuie, le temps dégouline de partout. Février.

Aujourd'hui, j'emmène mon papa au café. Je lui mets son manteau, je l'aide avec ses bottes. Dans la rue, je le tiens par la main. Il marche plus lentement que tout le monde. Il regarde autour de lui comme si tout lui était inconnu, comme s'il marchait sur Mars pour la première fois. Je me surprends à penser : « Si on y arrive pas, on prendra un taxi pour rentrer. » Je tâte la poche de mon manteau pour vérifier si j'ai pas oublié mon portefeuille. Mais le café finit par se pointer le nez, au loin.

J'assois mon papa, je lui enlève son manteau. Comment ces gestes sont-ils devenus si naturels en si peu de temps ? Je vais au comptoir commander un double expresso pour lui et un petit café au lait décaf' pour moi. Dans mon quartier, on sait faire le café, et celui-là, c'est sûrement un des meilleurs en ville. La mousse crémeuse et marbrée annonce déjà un bonheur sans nom. Quand je reviens à la table, je constate que papa a pas bougé, il fixe le néant, ou la vitrine, avec une tête d'ahuri. En le voyant comme ça, je suis prise de colère, et ces mots absurdes débordent trop rapidement de ma bouche pour que je réussisse à les rattraper :

— T'es pas tanné, d'être déprimé ?

— Oui, Fé. Je suis tanné.

Qu'est-ce que je dis ? C'est sûr qu'il est tanné ! Il donnerait même sa guitare en forme d'éclair pour guérir. Grosse nouille de Fé ! Mais, face à cette masse de chairs inerte, molle et déprimée qu'est mon papa, la colère en moi persiste. Je lui place des lunettes fumées sur le nez, parce que le soleil tape au travers de la vitre, puis j'en mets à mon tour, pour pas voir sa face à claque. On boit notre café en silence, en boudant, avec nos lunettes noires, comme deux *rock stars* qui ont trop fêté la veille.

Quand je reviens des toilettes du café, Yan est assis à notre table, et il est en grande conversation avec mon père, comme si de rien n'était.

— … C'est fantastique, Jean, je suis content pour toi. Hé, Fé ! Allô !

— Allô ?

— Hé, c'est *cool* ce que ton père me raconte !

— Que… Quoi ?

— Lâcher sa *job* pour se consacrer à un casse-tête de 18 000 morceaux, franchement, Jean, c'est… wow !

— Euh, c'est ça que tu lui as dit ? Papa ?

— Oui. Bon… j'ai pas raconté tout le contexte, mais en gros…

— Non, je te trouve courageux. C'est important de vivre ses passions. D'aller au bout.

— Au bout… oui… Han papa ???

— C'est drôle Jean parce que tu sais que je lis là-dessus, ces temps-ci ? C'est tellement intéressant, la science du casse-tête, c'est beaucoup plus complexe qu'on pense.

— (*Hé misère !*)

— Faudrait que je te montre mon travail. Tu viendras, Yan, une bonne fois à la maison.

— Ben sûr, ça me ferait plaisir.

— Ben… t'as-tu le temps là, là ? Je vais te le montrer. Han, Fé ?

— Oui, Yan, c'est une bonne idée, viens. (*Hé merde !*)

— Bon, O. K. On fait ça. J'appelle Fleurette pour lui dire que je vais la rejoindre plus tard, pis je vous suis.

— Fleurette ?

— C'est sa petite amie de 90 ans.

— Douze. Quatre-vingt-douze.

— Ah ! Super, j'suis content pour toi. (Mon père, qui semble pas un poil perturbé par l'âge de ladite Fleurette, tapote l'épaule de Yan.) L'amour, c'est tout ce qui compte dans la vie. (*Hé misère !*)

La marche du retour est beaucoup plus courte. Papa avance d'un pas léger, en discutant avec Yan. (*Note à moi-même : bourrer mon père d'expresso.*) Dans le bureau de papa, par contre, l'ambiance joviale tombe à plat. Nous sommes silencieux, tous les trois, fixant un plancher presque vide à part trois petites « mottes » de casse-tête : deux petits assemblages verts et indéchiffrables, et un qui commence vaguement à ressembler à un début de chute d'eau. Pas plus de trois ou quatre cents pièces au total. Pas exactement le grand chantier que nous avions anticipé. Une sorte de malaise plane dans la pièce au moment où Yan décide de briser le silence.

— Vois-tu ? C'est ça que je te disais tantôt, Jean. Ta démarche est géniale. Depuis tout l'temps, on nous a montré à commencer par le cadre, à mettre les morceaux qui ont un côté droit ensemble pour faire les contours, puis à s'attaquer au centre après. Ça, c'est la façon « logique » de le faire. Mais maintenant, on sait que c'est absurde. Le cerveau fonctionne absolument pas comme ça ! Dès qu'il voit les pièces toutes pêle-mêle, il commence instantanément à essayer de le reconstruire mentalement, il est déjà au travail, c'est presque intuitif. Mais toi, t'as compris, t'as laissé ton cerveau travailler.

— Oui, c'est ça, c'est vrai ! Comment je te dirais ça, on dirait que c'est pas moi qui décide. Je regarde les pièces, pis c'est ma main qui décide quoi prendre, où ça va, comme si j'avais pas à m'en mêler, juste à laisser faire ma main.

— Exactement ! Et c'est pour ça, maintenant, que les champions de casse-tête de vitesse…

— Casse-tête de vitesse, ça se peut, ça ?

— Oui, Fé, ça se peut… Donc, c'est pour ça que les champions, ils perdent pas leur temps à imposer à leur cerveau une méthode de travail, un cadre, ils font juste de la place intérieurement.

— De la place… intérieurement… (Mon père regarde vers le haut comme s'il discutait avec un ange.)

— Exactement. Le plus dur, le plus long, c'est de tourner toutes les pièces à l'endroit, le reste, ça se fait tout seul.

— Ça, c'est vrai.

— Le cerveau reconstruit le schéma tout seul. C'est presque de la méditation.

— De la méditation…

Papa semble s'être envolé dans ses nuages.

En reconduisant Yan à la porte, j'en profite pour le mettre dans le coup.

— Y'é super malade, il fait une grosse, grosse dépression.

— Oui, j'ai vu qu'il avait pas l'air bien. Il parle lentement, il fixe, il a maigri aussi. Mais stresse pas trop, y'est solide ton père, ça va passer. Y'est sur la bonne voie, en plus, avec le casse-tête et tout…

— Le maudit casse-tête. C'est TOUT ce qu'il fait matin et soir. Et t'as vu où y'est rendu ? Même pas au quart ! Il fait ça toute la journée Yan, je te jure. Ça pis dormir… Au café, cet après-midi, c'était sa première sortie depuis je sais plus combien de temps ! Ben, à part l'hôpital.

— C'est bien. Quand on est malade, il faut se reposer. Tu vas voir, ça va aller.

— Oui, mais combien de temps encore il va avoir besoin ? En tout cas merci, tu lui fais du bien.

— Si tu veux, je peux passer de temps en temps pour le voir… et te voir aussi…

— Oui, fais ça, on est là. Oui. Passe quand tu veux. Ça va me faire, euh NOUS faire, ça va NOUS faire du bien.

— Bye.

Félixe m'a téléphoné. Voix de métal froid. Elle a demandé des nouvelles. Je lui en ai donné. Elle m'a annoncé qu'elle avait été acceptée pour la maudite formation de coiffure à New York. Elle part dans quatre jours, pour huit semaines. Elle a dit quelque chose comme : « On se reparlera à mon retour. » J'ai dit « Ah bon », puis on a raccroché. Elle semblait déjà tellement loin.

Madame Moera vit sur la Rive-Sud, à Saint-Lambert, à l'entrée du « village », dans une maison blanche et noire, directement collée sur le viaduc où passe la voie ferrée. Le taxi nous dépose juste en face de son minuscule portail en fer forgé, nous l'enjambons, la porte est quasiment ensevelie sous la neige. Mon ventre se noue quand je regarde marcher mon père. On dirait un mort-vivant, il va pas bien, il FAUT que cette visite l'aide à se relever. Au moment où me vient cette réflexion, un train passe, et on peut sentir sur nos corps l'air qu'il déplace avec lui. La maison demeure bien indifférente à ce gros animal de fer bruyant. « C'est pas mon premier train », qu'elle semble nous dire. Mais lorsqu'on approche de la porte, on entend, ou plutôt on sent, une sorte de tremblement qui vient des vitres, et même de la charpente. La maison en entier vibre.

On sonne, et malgré le boucan, madame Moera nous ouvre et nous fait signe d'entrer. Je dis « madame » pour être polie, et parce que c'est comme ça qu'on l'appelle, mais la vérité, c'est que j'ai aucune espèce d'idée si c'est un homme ou une femme. Elle est Noire, assez petite, cheveux crépus, courts, avec calvitie prononcée sur le dessus de la tête, joues et yeux trop maquillés, des longues jambes maigres, ventre gonflé, visage masculin et très ridé, presque centenaire, et des yeux globuleux avec le blanc jaunâtre. Elle ressemble beaucoup à une grenouille qui aurait mis des vêtements de femme d'un autre âge, en tissus pastel, des colliers de plastique et des souliers beiges compensés.

Elle nous tend un panier rempli de pantoufles tricotées en Phentex, je choisis les plus psychédéliques, puis on la suit dans sa cuisine où chaque espace non fonctionnel est occupé par un toutou, une fleur séchée et une photo de célébrité que je ne connais pas et qui la remercie pour ses sages conseils. Elle parle un russo-franglais-québécois impossible.

— Je te donne le thé, tu prends ça. C'est pas bon le goût, mais ça soulève.

Elle verse pour papa un liquide louche dans une tasse « *I love Massachusetts* ». Puis elle me regarde au fond des yeux et lève le ton comme si j'étais sourde :

— Toi tu prends pas. Trop petite. Coke ? Tu veux le Coke ?

— Non, merci, rien.

— Bon, c'est bien, pas bon pour ta santé le Coke. *Anyway.*

Elle se sert un immense verre de Coke et s'assoit face à nous.

— Qu'est-ce tu veux Pit ? Qu'est-ce qui va pas ?

— Il fait une dépression.

— Oui, petit pomme, je sais. C'est écrit partout dans son corps, partout c'est écrit, mais c'est lui qui parle. O. K. ? Toi, écoute. Apprends. Tu fais ça plus tard, médium, comme moi, je te montre quand tu es prête. Regardez, elle rit, il est chou, cette petite… mais non, je te dis, je te montre tous mes tours. Tu vas voir. Mais là, tu écoutes. Alors Pit, parle, que je veux entendre ton voix.

— Je… Je sais plus… je sais plus où je suis, pourquoi. J'ai peur, j'ai mal, j'ai peur.

Il se met à pleurer.

— Parfait, parfait, je t'entends. C'est bon, continue.

Madame Moera lui prend la main, mais c'est pas pour le réconforter, elle le tâte, on dirait qu'elle cherche son pouls.

— Au début, quand tout a stoppé, c'était comme une libération, mais là, madame Moera, c'est pesant, je suis tellement pesant.

Elle est rendue dans son dos, et lui tâte en même temps la poitrine en dessous de sa chemise.

— C'est bien, c'est bien, on va te soigner. Ton corps fait exactement ce qu'il faut. Il se cache. Il écoute l'hiver. Bien. (Elle revient à la table.) Tu vas guérir. Tu commences avec ce que je t'écris là sur le papier là. Toutes les herbes, tu le prends soir et matin, les vitamines, tu le prends tous les jours et l'oméga-3, faut pas oublier lui, beaucoup, deux fois la dose, mais je t'écris ça, ta fille t'aide à penser à tout ça, continue, parle, j'écoute ton voix.

— Je… j'ai peur… j'ai… j' ai menti…

Papa s'effondre sur lui-même, s'enlace avec ses propres bras, se noie dans ses propres larmes. Mes yeux se remplissent d'eau, je voudrais tellement le sauver.

— Bien sûr, Pit, une dépression, c'est toujours ça, tu te parles, mais tu t'entends pas... C'est mensonge à soi. C'est comme ça... Qu'est-ce tu veux...

— J'ai menti à moi... À ceux que j'aime...

— Oui, oui, Pit, c'est bon ça, faut que ça sorte...

Pendant qu'elle parle à papa, elle se dirige vers moi, me prend doucement par la main, m'amène dans le salon sans que j'aie le temps de rouspéter, m'assoit sur le divan et allume la télé, volume au max, à un téléroman atroce en espagnol ou en bulgare. Elle repart dans la cuisine, puis referme la porte avec conviction, de sorte que je puisse plus rien entendre de leur conversation. Je reste seule à sécher sur le divan une bonne heure, en compagnie d'une télé qui beugle dans une langue inconnue avec mille toutous qui m'espionnent.

Je me demande de plus en plus ce qui se passe de l'autre côté de la porte, j'ai peur de ce que papa va devenir. Qu'est-ce qu'il voulait dire par « j'ai menti à ceux que j'aime » ? Madame Moera sort soudainement de la cuisine avec un verre de Coke qu'elle me met dans la main.

— Tiens, prends ça.

Par l'entrebâillement de la porte, je vois papa couché par terre sur le dos, au pied de la table, sur un genre de tapis de sol bleu, les yeux fermés. Elle baisse le volume de la télé.

— Ça va, il va bien. Toi, petit pomme, tu arrêtes de mourir avec lui d'accord ?

— Han ?

— C'est le grand moment important dans ta vie. Tu construis tes souvenirs, très important, nourriture pour le vieux jour… Tu lui donnes à papa ses plantes et omégas, tu le fais des bisous, puis le reste, tu t'occupes de le cœur.

— De le cœur.

J'ai un peu envie de rigoler et madame Moera le voit instantanément. Elle se fâche.

— Fais pas comme si tu sais pas qui tu es, petit pomme ! Tu sais très bien d'où tu viens, je le vois dans tes yeux, et ta magie, tu t'en sers déjà beaucoup, alors arrête avec moi ! Un bon jour, tu prends mon *business*, je te montre tous mes trucs, mais là, ton *job*, c'est sentir la vie, observer, respirer, écouter, goûter, aimer, pas mourir avec papa. D'accord ?

— Il va mourir ?

— Il est déjà mort, petit pomme ! Y'a trois mois. Crac. Mais là, il va revivre. Beaucoup différent. Tu vas pas comprendre au début, encore moins ta maman, que je salue d'ailleurs. Comment il va ta maman ?

Je suis déstabilisée par le changement de ton et de conversation.

— Euh, bien…

— Bien, bien, tu lui dis qu'il passe me voir, pour son changement de saison ?

Je me lève.

— Oui, je vais lui dire.

— O. K. Ton papa, tu lui donnes le herbe, le vitamine et l'amour, comme une plante. Mais quand le printemps arrive tantôt, pas trop de soleil d'accord ? Il est pas prêt. Oh, et aussi, il va peut-être faire le choc.

— Han ?!?

— Le choc. Boum ! Son corps et son esprit sont encore fâchés ensemble, et ça peut encore craquer. Mais quand il fait boum, tu le laisses par terre, O. K. ? Tu le ramasses pas, O. K. ?

— Euh, mais…

— Tais-toi, petit pomme, écoute, je sais tu comprends. Il doit se relever tout seul. Même s'il fait le mort, son corps va trouver le chemin. Doit se relever tout seul. C'est nécessaire. Pour comprendre le chemin, pour que s'il retombe, il sait comment faire pour se relever encore après. Apprendre à tomber, apprendre à se relever. C'est

la vie. Maintenant, je vais te le chercher, il est prêt.
Vous partez. J'ai mon programme qui commence.

Le taxi arrive, nous saluons une dernière
fois madame Moera. Au moment où je sors,
elle m'attrape le poignet, et me le tâte comme
elle a fait pour papa.

— Le personne que tu aimes, c'est fille ou
garçon ? J'arrive pas à voir.

Je reste l'air bête, incapable de répondre.

— Bah, *anyway*, garçon, fille, pas important,
en plus je me mélange toujours les deux. Bon, allez
au revoir ! Bye !

Elle nous referme la porte au nez.

Dans le vieux taxi qui nous ramène chez nous,
papa et moi sommes calés dans nos sièges de cuir
beige et nous regardons chacun de notre côté de
la fenêtre. La radio joue un genre de musique
créole. Puis il se retourne et me prend la main.

— Ça va aller, je le sens, je vais aller mieux.
Elle m'a fait beaucoup de bien, Moera.

— Est folle.

— Tu devrais pas dire des niaiseries comme
ça, elle t'a presque sauvé la vie.

— Je sais, mais elle est folle quand même.

— C'est la personne la plus lucide que je
connaisse, elle voit tout…

— Si ça se trouve, c'est elle qui m'a enlevée, m'a emmenée sur le mont Royal pour un genre de rituel vaudou, puis elle a eu des remords…

— Ta mère était chez nous quand elle a appelé madame Moera… chez elle, dans sa maison à Saint-Lambert! A pouvait pas être en même temps sur le mont Royal avec toi. Ça faisait trois heures qu'on n'avait pas de nouvelles de toi. On était paniqués, on savait plus quoi faire. Peux-tu t'imaginer comment c'est long, dans une vie de parents, trois heures sans savoir où est ta puce de quatre ans? La police nous regardait, comme ça, avec des gros points d'interrogation dans les yeux. On voyait qu'ils avaient aucune espèce d'idée par où commencer les recherches. Deux novices, on était morts de peur. Moi je suis parti faire le tour du quartier, je me rappelle, je voyais tout comme dans de la brume tellement j'étais paniqué. Je marchais quatre fois plus vite qu'à l'habitude, je hurlais, « Fé, Fé » comme un fou! Ta mère était à la maison au cas où tu reviendrais, elle était désespérée. Puis là, elle a pensé à la vieille voyante que sa mère appelait tout le temps pour trouver les bijoux égarés. Tu sais, elle avait déjà retrouvé, à distance, une grosse bague en diamant que mamie avait perdue dans le divan. En tout cas, elle a téléphoné à ta grand-mère qui lui a tout de suite donné le numéro de Moera.

Quand elle l'a appelée, dans sa maison de Saint-Lambert, madame Moera a juste dit :

— Chercher le cheval.

— Oui, c'est ça, elle lui a dit : « Je vois le cheval, il faut chercher le cheval. »

— Là, t'as pris le camion.

— Tu veux que j'arrête de la raconter ?

— Non, non. En fait, je l'aime assez, cette histoire.

— Parce que la veille, sur le mont Royal, tu nous avais piqué une crise monstre pour aller voir l'enclos où les polices montées laissent leurs chevaux. Tu parlais comme madame Moera, tu mélangeais tes féminins-masculins, tu disais « la cheval », tu criais : « Je veux aller voir la cheval, je veux aller voir la cheval. Elle veut me parler ! » Mais on était super fatigués, on avait des coups de soleil partout, et on a pris ça pour un caprice, alors on n'était pas allés voir « la cheval ».

« Dès que je suis rentré de mes recherches dans le quartier, ta mère m'attendait dans le cadre de porte. Elle avait un gros *feeling* que madame Moera avait raison pis que t'étais retournée là. Ça me semblait impossible que tu sois remontée là toute seule, mais en même temps, ta mère avait l'air de sentir quelque chose. Je m'en souviens, elle m'avait dit avec des yeux braqués sur moi comme des fusils : "Va chercher ma fille." Faque j'ai pris le camion… »

— Mais comment je suis montée ? Personne m'a remarquée sur la route ?

— Ça, ma fille, c'est le grand mystère de l'affaire ! T'sais comment y'a du monde, sur le mont Royal, un dimanche après-midi qui fait beau ? T'imagines, personne a remarqué une enfant de quatre ans qui grimpe toute seule une montagne ? La police pense que t'es passée par le bois, mais ça fait pas de sens, comment tu te serais retrouvée ?

— J'ai comme un souvenir de ça, d'avoir marché dans la forêt, mais je me souviens pas d'avoir eu peur ou de chercher mon chemin. Mais c'est flou, ça pourrait être ailleurs, à un autre moment donné. Le cheval, lui, je m'en souviens très bien.

— T'étais assise par terre, dans la bouette, derrière la cabane dans l'enclos, en grande conversation avec un pur-sang noir huit fois plus grand que toi. Quand je suis arrivé, je vous ai trouvés les deux comme ça, ben relaxes. Le cheval a tourné la tête avec l'air de dire : « Heille, qu'est-ce que tu fais là ? Tu nous déranges, *man* ! » Je me souviens pas d'avoir pleuré aussi longtemps et aussi fort de ma vie.

Comme chaque fois qu'il raconte cette histoire-là, papa se met à pleurer. Encore…

— Je suis certain que tout le monde dans la montagne m'a entendu chialer comme un veau. Toi, t'étais là, toute belle, avec ton beau sourire pis tes sandales en plastique, tu me regardais, tu séchais mes larmes. Quand on t'a demandé ce qui t'avait pris de monter le maudit mont Royal toute seule, t'as juste répondu: «Son frère cheval est parti dans une autre écurie. Il s'inquiète pour lui. Je l'ai rassuré. Je lui ai dit que ça allait bien aller.»

Papa me prend dans ses bras.

— Oh, ma fille, je t'aime tellement. Je sais, je suis le plus pire des papas au monde, ces temps-ci. Je m'excuse.

Et c'est reparti pour les chutes du Niagara!

— Ça va, ça va.

— Non, c'est vrai, t'es là, tu prends soin de moi, les enfants devraient pas être forcés de devenir les parents de leurs parents.

— Ça va p'a, je suis plus une enfant.

— Oui, Fé! Tu te vois pas, tu oublies des fois, parce que t'es tellement grande… Mais t'as encore la même petite tête que la prune de quatre ans qui parlait aux chevaux.

— O. K. O. K., calme-toi.

— Je suis fatigué, ça fait longtemps que j'ai pas autant parlé. Je peux me coucher comme ça sur toi?

— Ben oui, allez, repose-toi.

— C'est beau, la musique qui joue, han? La rencontre avec Moera, ça m'a vidé. Mais ça va aller mieux.

— Ben oui, ben oui, allez, dors un peu, je vais te réveiller à la maison.

— Je vais guérir, elle me l'a dit…

— Oui, tu vas guérir…

La musique créole berce notre trajet. J'admire Sa Majesté le fleuve pendant que nous traversons le pont Jacques-Cartier.

— T'sé, Moera, elle a dit une affaire du genre : « T'as des super pouvoirs, blabla, un jour tu vas prendre ma *business*… » C'est *freak*, ça, tu m'imagines-tu, voyante, avec mes toutous ? Je sais pas pourquoi elle a dit ça. Tu penses-tu que ça pourrait être vrai ?

— … Mmmmmm… Ben sûr, ma fille, maman et moi, on l'a toujours su que t'étais…

Et il se rendort.

Durant tout le mois de mars, Yan vient nous visiter presque tous les jours de semaine. J'avoue que ça m'arrange. Il m'aide à supporter le temps passé à la maison en compagnie de mon papa qui porte son pyjama à rayures comme une seconde peau. Ils discutent un peu entre hommes, parfois on va au café, parfois on visite le « chantier » en cours, mais papa refuse toute aide pour son casse-tête. C'est son projet à lui. Parce que Yan est fidèle, un soir par semaine, il va aussi chez Fleurette, et là, le temps passe LEN-TE-MENT. Papa s'enferme dans son bureau. Il en ressort parfois en pleurant. On écoute un peu de télé ou la radio. On attend maman. Quand maman arrive, papa l'embrasse puis retourne s'enfermer dans le bureau. Avant, notre appart était toujours rempli d'amis, de famille, de clients-amis de ma mère qui passaient nous visiter, souper chez nous, *jamer* avec papa. Maintenant, mes seuls petits moments de vie sociale sont les jours où Yan, notre sauveur, nous rend visite. Je me jette souvent sur la porte dès que j'entends sonner, comme une désespérée.

— J'ai apporté un livre.

Yan me sourit exagérément, et me présente son livre avec la conviction d'un vendeur d'aspirateurs. Sur la couverture, on peut lire : *La Science du casse-tête.*

— Entre, il va être content. Papa, t'as de la visite !

Yan ne traîne généralement qu'une petite heure ou deux chez nous, puis il rentre sagement chez lui. Souvent, j'aurais envie qu'il reste, mais je dis rien.

Habituellement, quand j'entends ma boîte aux lettres s'agiter, la joie me prend au corps, des orteils jusqu'au bout des cheveux. Mais là, aujourd'hui, ce bruit de métal rouillé qui grince me dit rien de bon. Mauvais pressentiment. Est-ce que c'est celle-là? Est-ce que c'est LA carte postale de rupture? Et quel genre d'image elle a choisi pour me dire « je te quitte » ? La statue de la Liberté? Une poupée démantibulée avec un couteau planté dans la tête? Un goéland?

Je décide de reporter à plus tard ma rupture avec Félixe en allant PAS voir dans la boîte aux lettres. La fuite : technique éprouvée, et ce, depuis la préhistoire. Pourquoi s'en priver?

Je retourne sur le divan avec mon livre et pose mes pieds sur mon pouf vivant, chaud et confortable : mon père.

— Allô vous! Comment y va?

Ma mère a les bras chargés de sacs.

— Il va bien, il est très confortable. T'as déjà fini à l'atelier?

— Je suis venue le chercher pour sa visite à l'hôpital. Depuis combien de temps il fixe la fenêtre comme ça?

Je considère l'épaisseur de mon livre :

— Euh, depuis trois chapitres.

— Jean, faut t'habiller, on va voir le docteur. Allez.

— Ah non, je suis fatigué, vas-y sans moi.

— Euh, non, je pense pas que c'est une option. Allez, debout, grand flanc-mou. Allez, on se lève!

— Et mon pouf, lui ? Tu me voles mon pouf !

— Tiens, prends ça, tu pourras t'accoter là-dessus, y'a ton nom écrit dessus, en plus. C'était dans la boîte aux lettres.

Elle me met sous le nez la chose que je tentais d'oublier si fort. Mais au lieu de la carte postale redoutée, c'est une petite enveloppe brune, de la taille et l'épaisseur d'un gros livre de poche. Elle semble contenir quelque chose de léger et de spongieux. Sur l'enveloppe, il y a un timbre américain avec un aigle, et le tampon NYC (New York City). Mon adresse est écrite à l'encre bleue. Je reconnais l'écriture, bien sûr.

Une fois seule dans la maison, j'ai la liberté de faire semblant que cette enveloppe n'existe pas : musique dans le tapis, bain brûlant, sculpture avec pelures de clémentines, engelure au front par excès de crème glacée. Objectif : m'anesthésier les sens. Yan passe, et même si mon père n'est pas là, il reste une petite heure. Il m'aide avec ma sculpture. Nous empilons sur la table du salon des tonnes de pelures, et il y rajoute quelques objets insolites comme des bougies fondues et de la mousse de divan. Il prend une photo de notre œuvre d'art.

Quand il repart, j'ai plus faim, plus soif, plus envie d'écouter de la musique, plus rien.

Je sors l'enveloppe de l'endroit où je l'avais cachée, le micro-ondes. Je la déchire d'un coup, ça fait toujours moins mal quand la blessure est rapide.

Un mini coussin. Magnifique. Avec des petites broderies et du dessin. C'est écrit avec du fil doré :

FÉ

Je remets le coussin dans le micro-ondes, et je cours bouder dans mon lit.

Parfois, j'avoue, j'ai une légère tendance au monologue :

— Elle me jette, elle me reprend, elle me rejette, elle me reprend. Je suis sa poupée, elle me sort quand elle a envie, pis elle me jette par terre quand elle est tannée de jouer. Mon père est en train de crever de peine, elle gosse des maudits coussins à marde qu'elle m'envoie de New York ! Ça me fait plaisir qu'elle pense à moi, mais t'sais... Le pire, tu sais c'est quoi, Lu ? Le pire c'est qu'elle est pas foutue de m'appeler : « Hé, salut, c'est Félixe, ça va ? Ton papa est-tu mort ? » Non, elle a besoin de temps pour elle, pour ses maudits stages, pis pour fabriquer ses maudits coussins. Mais

Yan, lui, il est là, par exemple. Lui, il est là, pour mon père, pour moi, et je te jure, il commence à sentir drôlement bon, Yan. Des fois, je suis à côté de lui, t'sais pis… parce que tu sais, moi, j'ai un corps, moi aussi, j'ai un corps…

— J'ai trouvé l'ACCÈS.

— Quoi ? De quoi tu parles ?

— Ça fait trois jours que je surveille les ouvriers à l'école, l'après-midi, en cachette, pour voir ce qu'ils font. Ça avance pas vite, à mon avis, vu de même, y'en ont jusqu'au début de l'été. C'était du gros boulot, toute la structure…

— Lucie, tu l'sais, si tu t'emmerdes tant que ça, tu peux toujours venir avec moi garder mon père. Je sais, c'est un peu pathétique comme activité, mais c'est mieux que d'aller s'intoxiquer au goudron, ou je sais pas quoi, en observant des travaux de réparation d'un toit. *Come on !*

— Attends, tu comprends pas. Ils font pas juste le réparer, ils en profitent pour faire des améliorations. Ils ont fait un trou, avec une trappe. Ils vont poser une longue échelle d'urgence pour accéder au toit. Sur deux étages.

— Pourquoi y vont faire ça ?

— Au cas où, je sais pas, ils ont besoin d'aller faire d'autres travaux sur la toiture, vérifier le système de ventilation, faire un concert-surprise, les patentes qu'on fait sur un toit !

— Bon, ben c'est génial, tout ça! Allez, viens, je t'emmène chez moi, je vais te faire du popcorn.

— Attends, écoute. L'accès, ils l'ont construit dans le local de la concierge. Ils vont poser une échelle et tout. Quand ils vont avoir terminé, j'imagine que pour un certain temps, la porte va être débarrée…

— Ce qui veut dire que…

— T'imagines la vue?

— Non. *No way* Lu, non.

— Allez Fé. Allez!

— Non.

— Ça doit être fantastique! T'imagines? Toute la ville juste à nous! Bon, ça va être une bonne échelle, à mon avis, ça va être assez haut, mais…

— Lu, les échelles, je crois qu'on a assez donné.

Théorie de la petite camisole bleu poudre: une hypothèse confirmée.

Avril, le printemps s'essaye, et moi aussi. Je tente une expérience hautement scientifique pour valider la **Théorie de la camisole bleu poudre**. L'hypothèse est la suivante: même si une jeune femme est pas, disons, un monument de beauté corporelle, tout homme a de la misère à résister à une jolie paire de seins lâchés lousses dans une camisole bleue. La réponse tarde pas à venir, Yan se met à loucher alors qu'il n'a qu'un pied dans mon cadre de porte. Une sorte de malaise s'installe instantanément entre nous, et plane durant toute l'heure. Yan gigote, semble nerveux, on a de la difficulté à se parler. J'ai envie d'aller enfiler un coton ouaté, de retrouver mon petit Yan habituel, enthousiaste et rêveur, et de faire fuir ce monstre globuleux rivé sur mes seins, mais je résiste. C'est une démarche scientifique, après tout. La rigueur est de mise.

Il se trouve que la camisole a le pouvoir de générer d'autres types de réactions insoupçonnées chez le sujet à l'étude. D'abord, Yan a traîné bien plus longtemps qu'à son habitude à la maison, jusqu'à ce que papa lui demande officiellement de rester. Et Yan est resté. Ensuite, maman est arrivée les bras chargés d'*empanadas* bien chauds et l'a invité à souper. Il est resté. Ensuite, lorsqu'on a mis un film d'Alfred Hitchcock à la télé, il est resté. Et même à la fin du film, lorsque papa et maman sont allés lire au lit, Yan est resté.

Et lorsque j'ai pris la main de Yan, et que je l'ai mise sur mon sein, la main de Yan est restée.

Je me suis réveillée le lendemain sur le divan, en bobettes, la camisole remontée jusqu'au cou, abrillée d'une minuscule serviette orange. Mes parents dormaient encore. J'ai récupéré ma jupe taponnée dans un coin poussiéreux.

J'ai pas les reins assez solides pour mener une vie de scientifique. Trop dangereux pour moi. En déjeunant, je rosis en pensant à la veille. Comment j'ai pu faire ça à Yan ? Jouer ce petit jeu de pouvoir de femme à la con. J'ai honte ! Puis, remonte en moi la sensation des mains de Yan qui me caressent, sa bouche dans mon cou. C'est génial AUSSI un corps d'homme finalement ! Ça m'a fait du bien de me coller. On s'est un peu tripotés, un peu déshabillés, surtout embrassés. Rien de plus.

J'avais besoin de cette chaleur, il y avait longtemps que quelqu'un avait pas pris soin de mon corps.

Puis, j'ai vomi.

Les *empanadas*, la chaleur de la pièce, le stress, la fatigue, le corps pesant de Yan sur moi, la pensée que j'étais en train de tromper Félixe, tout ça a engendré ça. Vomi. Pas simple, la vie. Un instant, c'est la grâce, une seconde après, c'est la honte et les serviettes mouillées dans la salle de bain.

Il fallait pas faire trop de bruit pour pas réveiller mes vieux. On a nettoyé le divan. Je me suis étendue avec une serviette.

— Yan… je… j'ai mon concert. Vendredi, 9 mai. Si tu veux. Genre.

— Je sais pas, en principe, je vois Fleurette. Email-moi les infos, je verrai.

— O. K. Oui. Je vais faire ça.

— Bye Fé.

— Bye.

Madame Fé

Un petit mot pour vous aviser que votre coiffeuse officielle est revenue en ville et qu'elle vous propose un rendez-vous mercredi 30 avril à 14 h, au très chic Salon Rosa. Nous vous attendons avec impatience.

Au plaisir,

Le Salon Rosa

J'y vais pas.

C'est décidé.

D'la marde.

J'y vais pas.

J'y vais pas, j'y vais pas, j'y vais pas, j'y vais pas. C'est une conne, elle me niaise, j'en ai plus rien à foutre d'elle, tant pis, non, j'y vais pas.

J'y vais pas, j'y vais pas, j'y vais pas, j'y vais pas, j'y vais pas BON !

Faudra que je m'explique un jour pourquoi, malgré cette résolution ferme prise en haut lieu de commandement par mon cerveau lui-même, mes pieds ont continué d'avancer jusqu'au Salon Rosa.

Dès que j'entre, je comprends que ça va pas être simple. Je sais pas pourquoi, mais je le sens. Félixe termine avec une cliente, elle me regarde furtivement. Des yeux de dragon. J'aurais préféré un scénario super facile du genre : on se regarde, on comprend que notre amour est éternel, on se saute dans les bras, et la musique part ! Mais non. L'air est lourd. Même Michel a l'air crispé.

— Allô, Fé, ça va ? Je suis content de te revoir.

— Allô !

— Tu nous as… tu m'as manqué, mademoiselle Fé. Félixe ! *Tu cliente esta aqui.*

— *Si si.*

— Bon, je vous laisse, les filles, je vais aller au café Falco. Ma prochaine cliente est à trois heures et quart. Bye.

— Madame. Assoyez-vous ici s. v. p.

— Salut.

— Allô.

Félixe m'enveloppe dans un sarrau noir et me couche sous le jet d'eau chaude. Elle me lave doucement les cheveux. J'entends ses bracelets qui tintent près de mes oreilles.

— Ça va ?

— Ça va. Toi ?

— Ça va.

— Je suis contente de te voir. Je m'étais ennuyée.

— Moi aussi.

— T'as reçu mon coussin ?

— Oui, y'est beau. Merci. Élisabeth II est jalouse je pense. Je l'ai retrouvée l'autre jour couchée dessus…

— Pis ton père ?

— Il va un peu mieux. J'pense. Ça va être correct. J'espère. Comme il fait moins froid, on peut sortir plus, ça aide… Mais faut qu'il fasse attention au soleil, y'est pas prêt. Puis y'a Yan qui vient… souvent… Toi ? Ça va ? New York ?

— Ouais. Super. New York, c'était…

Impossible d'entendre la suite, le jet d'eau est bruyant et mes oreilles sont bouchées. Félixe me raconte visiblement son voyage, mais j'entends rien. Je regarde ses belles lèvres bouger. Une fois que je suis assise sur la chaise, Félixe ôte ma serviette et mes oreilles débouchent.

— … mais t'sais, à part cette affaire-là, j'ai ben aimé ça. Puis, ça m'a quand même fait du bien, un peu de solitude. On était pas mal collées les derniers temps, pis euh…

— Ouais.

— J'ai eu le temps de réfléchir là-bas… À toi, à nous… Et, y'a des bouts de l'histoire que je devais me pardonner, t'sais, avant de te revoir.

— Des bouts d'l'histoire ? Comme quoi ?

— Ben y'a ton père, je l'sais que c'était pas facile… j'étais pas là pour toi, je pense que je me suis un peu sauvée… Ton père en petite boule dans la neige… J'ai eu peur, à cause de ma mère…

— Oui, j'y ai pensé. Ça a dû te rappeler des moments difficiles avec ta mère.

— Oui, mais aussi… je voulais te dire… je l'ai embrassée, Fé !

— Ta mère ?

— Non, Béa ! Béatrice.

— ???

— Je voulais te le dire. Ton *feeling* était bon.

— Je… *Shit* ! Quand ? Le soir de ta f…

La blessure est instantanée. Pour me protéger, je plonge à l'intérieur de moi, dans une brume épaisse.

— Oui le soir de ma fête. T'avais raison. On s'est *frenchées*. Une sorte d'hommage au passé, un genre de rituel pour passer à autre chose…

— … je l'ai toujours su on dirait…

— Je voulais voir si je l'aimais encore. Tu comprends ? C'est niaiseux.

— … dans ma tête, j'ai comme une image très précise, toi… et elle…

— Je m'excuse pas, parce que ça voulait absolument rien dire… Je voulais même pas t'en parler. Mais c'est la seule façon de passer à autre chose. Sinon y'a comme un malaise.

— … un malaise…

Soudain, je sors de mon brouillard. Allez hop, on se secoue ! J'aurai de la peine plus tard. Je passe en mode offensif.

— Eh bien merci Félixe. Merci de… Je veux dire, j'apprécie que tu me le dises.

— Est-ce que t'es fâchée ?

— Ben je pense que… Non… Je… On est pas enchaînées l'une à l'autre, comme tu disais… (*Ne pas arrêter de parler pour ne pas flancher.*) Je trouve ça important qu'on soit *open*… T'as des expériences à vivre, moi aussi. À la limite, je comprends, t'sais moi aussi…

— Y'avait plus rien finalement. Pas d'amour, pas de désir, pas de chaleur… Juste de la… peine. Ça voulait vraiment rien dire, mais j'avais besoin de le faire, tu comprends ?

— Non, je comprends, je… t'sais, moi aussi, j'ai *frenché*… avec Yan… J'avais envie d'essayer ça.

Le visage de Félixe devient très pâle. C'est la couleur recherchée.

— Bon faque tu vois, ça fait rien han, Fé ? Han ? C'est comme rien, han ?

— Ben, c'était… quand même… chouette… Même très chouette.

— Tu… ouais ?

— Ouais. Mais c'était pas comme avec toi. Je veux dire… Pis j'ai vomi, en fait…

— Bon, tu vois ! Han ? T'as vomi ?

— Ouais.

— C'est vraiment nul, ça !

— Ouais, je sais… C'est ça…

— Je rafraîchis ?

— Quoi ?

— Ta coupe ?

— Euh, oui.

Elle monte le volume de la radio. Une voix de femme et une *slide guitar*. Ça envahit l'espace du minuscule salon. Félixe me coupe les cheveux comme elle l'a toujours fait, mais l'air est brouillé entre nous.

— Je… Mon concert, c'est vendredi… prochain !

— Quoi ? J'entends pas.

— Vendredi 9 mai. 20 heures. Tu sais, mon concert ? Tu pourrais venir, si tu veux, tu…

Félixe baisse le son.

— On joue la 7ᵉ de Beethoven.

— Je sais pas. Je sais pas où j'en suis, Fé. Je pense que j'ai encore besoin de temps.

— Du temps ?

Ce mot fait péter un boulon à l'intérieur de moi.

— Oui, du temps.

— Du temps ???

— Ben oui, du temps.

— Du temps pour quoi ???

— Je sais pas, je suis plus certaine de grand-chose… Je…

— Fourre-toi-le dans l'cul, ton temps !!!

Je sors en trombe, cheveux mouillés, sarrau au cou flottant derrière moi comme une cape. Je l'arrache, je le pitche sur le plancher en béton.

Évidemment, j'avais pas tourné le coin du corridor que j'avais honte de mes paroles puériles (« Fourre-toi-le dans l'cul, ton temps. » Eh *boy* !)

Évidemment, maintenant qu'elle était plus là, je trouvais un million de choses plus intelligentes à lui répondre.

Évidemment, malgré la colère, j'étais quand même heureuse de l'avoir vue.

Évidemment, j'ai compris qu'elle était jalouse de ce baiser à Yan.

Évidemment j'ai fait exprès.

Fé,

Dis à Élisabeth ll que je vais lui fabriquer un coussin, juste pour elle. Je vais venir te le porter vendredi, pas cette semaine, je suis trop dans le jus, mais la semaine prochaine. On pourrait aller prendre une marche, jaser. Ça peut pas finir comme ça.

Fé

Fé,
Comme je te disais,
ce vendredi-là,
j'ai mon CONCERT.

Fé

Bon. Fini le niaisage ! Yan et Félixe sont au courant pour mon concert. Aucun des deux s'est jamais vraiment intéressé à ma musique, aucun m'a jamais entendu jouer. Yan est bien trop occupé avec ses coupons-rabais et ses petits vieux, Félixe, par ses nombreux clients et ses blondes usagées qui la hantent. Demain, c'est le TEST. S'il y en a un des deux qui se pointe à mon concert, eh bien voilà, je lui donne mon cœur, point final. Pas plus compliqué que ça.

Et si les deux se pointent?

Je choisirai celui qui a le plus beau bouquet de fleurs.

Et si aucun a pensé aux fleurs?

Je choisirai celui qui m'a apporté une gogosse, n'importe quoi, une carte, un toutou, un bonbon, quelque chose.

Et si les deux ont rien apporté?

Je choisirai le premier qui m'adresse la parole.

Et si personne vient?

Je suis pressée. Je passe à la maison deux minutes pour prendre quelques affaires avant de repartir: mon sac à dos, quelques fruits séchés, du linge. Après-midi très chargé: je dois aller me magasiner un costume de scène et puis hop, je file à l'école. On soupera sur place, puis une dernière petite répétition sur scène, puis: musique + triomphe + amour. Le plan béton.

Je saute dans la douche vite, vite. Je me rhabille. Papa est toujours dans le bureau. Je cogne à sa porte.

— Je m'en vais, t'as-tu besoin de quelque chose avant que je parte?

Pas de réponse. Et puis merde, j'entre. Tempête de bureau. Papa est couché parmi les pièces de son casse-tête, en petite boule, dans la même position dans laquelle je l'ai trouvé sur le balcon. L'image me glace. C'est le bordel total, les morceaux sont éparpillés partout, comme s'il s'était battu avec. Il a saccagé son ouvrage. Tout son travail est étalé aux quatre coins de la pièce. La seule chose qui le tenait en vie ces temps-ci, il l'a détruite.

Il dort très profondément. Ronfle un peu. Dans ses propres décombres. Il a visiblement beaucoup pleuré. Il est maigre, il a l'air tellement fragile. Je peux pas le laisser dans cet état-là. Je peux pas aller jouer du Beethoven pendant que mon père est en train de perdre la carte. Je suis tannée de le voir souffrir. Je suis tannée de le sauver. Je repense à Moera: «Ne pas le relever. Il doit apprendre à se relever.» Je sors de son bureau et m'accote au mur.

— Réfléchis, Fé, c'est le temps de prendre la bonne décision. Qu'est-ce que ton instinct te dit?

Je prends une grande respiration, puis une autre, puis une autre, puis la réponse monte en moi, claire et limpide. Je vais dans ma chambre, sur mon lit, chercher un oreiller. Je retourne dans le bureau, et je le mets sous la tête de mon père. Avant de refermer la porte pour de bon, je lui dis (même s'il semble dormir):

— Papa, je t'aime très, très, très, fort. Mais je mourrai pas avec toi.

Il a dit « noir ». Le prof de l'harmonie veut : pantalon et chandail pour les garçons, jupe ou robe pour les filles. Et noir ! Pas gris, pas *charcoal*, NOIR ! NOIR !

Je suis rue Mont-Royal, je fais le tour des friperies, et je cherche quelque chose de joli, de noir, taille extra large, à moins de 25 $. Pas simple. Nous sommes le 9 mai, il y a des petites fleurs qui pointent leur nez dans les plates-bandes, le printemps s'est mis sur son 36 : gros soleil et tout. Quelques passants osent même le short, ou la robe légère et colorée. Et moi, je magasine du noir ! En plus, j'essaie de ne pas en broyer en pensant à :

1. Papa que j'ai laissé mourir de chagrin dans son bureau.

2. Mon concert : sentiment de ne pas avoir assez pratiqué.

3. Félixe et Yan, Yan ou Félixe, le TEST : Qui viendra, qui viendra pas ?

4. Ma grande solitude parmi tous ces gens qui disent m'aimer, et qui sont pas là pour moi, en ce moment où j'ai terriblement besoin de conseils vestimentaires.

Au pire, j'ai dans mon sac un collant, une jupe, et un plate t-shirt noir. Triste, triste, triste, tout ça, mais ça peut dépanner. Les gens défilent sur la rue Mont-Royal avec leurs lunettes fumées, leurs souliers colorés, leurs boîtes de sushis et leurs sacoches. Je suis certaine d'être la seule personne à Montréal, en ce moment, qui a envie de pleurer. Je m'assois sur un banc. Je ferme les yeux pour contenir mes larmes. Je me mets en boule contre mon sac à dos. Je respire profondément pour pas faire une attaque de panique. Je nous imagine, Babouche et moi, sur scène ce soir. Cette version pour petit orchestre du deuxième mouvement de la Symphonie no 7 de Beethoven est une des plus belles choses au monde. Ça commence tout en lenteur, en langueur; les violons et violoncelles sont les *stars* de ce morceau. On sent que quelque chose monte, Beethoven nous mène par le bout du nez. Puis à un moment où on s'y attend pas, ça explose! La musique qui vous prend au ventre, vous soulève puis vous jette par terre. J'ai envie de jouer ça, d'être au centre de mon groupe de musiciens et de sentir le vent puissant des cordes qui font vibrer tous nos corps en même temps. La partition est gravée dans ma tête, c'est vraiment beau. J'ai envie de faire ce concert, je dois me raccrocher à ça.

Tant pis pour le linge, mon père, et les histoires d'amour compliquées, vive l'art !

Quand j'ouvre les yeux, j'ai retrouvé mon calme. Mon regard est soudainement happé par l'écriteau en néon sur la boutique devant moi :

« IMPRESSION DE T-SHIRT »

Il a dit noir. Chandail noir. D'accord, ça sera noir. Mais il a rien dit à propos des licornes brillantes dessus.

Vêtue de mon t-shirt noir (avec une licorne), je rejoins Babouche sur scène. La lumière est aveuglante, et la foule en face n'est qu'une masse noire et compacte qui tousse de temps en temps. Des points de lumière, des flashs de caméra et de téléphone nous éclairent parfois. En m'assoyant, je vois le visage rassurant de Lucie, du côté des instruments à vent. Elle tient dans ses mains Arnolphe, son hautbois. Cette fille-là, même en tenue de concert, réussit à ressembler à personne : six couches de vêtements (noirs) superposés et cheveux immenses et ébouriffés qui tiennent grâce à une structure architecturale complexe réalisée avec une tonne de *bobby pins*. Le prof nous fait signe, je plaque Babouche contre mon cœur, et je laisse mes mains faire le reste. Je respire profondément avec mon instrument, et avec le groupe.

La partition défile, j'ai qu'à laisser aller mon corps qui connaît la musique. Je m'émerveille de ce procédé. Il y a quelques semaines, je déchiffrais les notes une à une, comme un langage troué et secret, et voilà que là, sur scène, j'ai qu'à ouvrir une valve intérieure, et la musique coule de mon instrument. Avec les autres cordes, on fait une longue rivière. Lorsque le reste de l'orchestre nous rejoint, c'est un fleuve qui a pris toute la place dans la salle. Parfois, j'ai l'impression que les spectateurs penchent légèrement vers l'arrière, tellement le courant de la musique est puissant.

Je suis pas certaine d'avoir vraiment entendu le début des applaudissements tellement j'étais encore dans mon nuage quand on a terminé. Chose certaine, j'aurais voulu un plus long silence, entre la musique et le bruit des mains qui claquent. Pourquoi les gens sont si pressés d'applaudir? Durant le salut, la lumière semble encore plus éblouissante. Une vague « note à moi-même » ressurgit à la surface de mes pensées, mais j'en comprends pas instantanément le sens: «Le *Test*. Regarde dans la salle pour voir qui est venu. »

C'est seulement quand je retourne en coulisse que je me souviens vraiment du Test, et que je réalise que j'ai oublié de regarder dans la salle pour voir qui, de Félixe ou de Yan, était venu. Mais je me doute déjà de la réponse.

« Personne. Il y a personne de l'autre côté qui t'attend. »

On nous annonce qu'on peut aller rejoindre nos amis et notre famille dans le foyer de l'amphithéâtre. Je prends mon temps pour bien ranger mon Babouche, je l'embrasse sur chaque corde, comme il aime, puis je me démaquille, lentement.

Dans la foule du foyer, j'aperçois quelques-uns de mes camarades musiciens entourés de leurs proches. L'ambiance est très festive et bruyante. Il y a des gens de toutes les formes et les couleurs : des gens à plumes, des gens à fleurs, des gens à manteau, d'autres en jeans, en robe ou avec un chapeau. J'enfile ma veste et mon foulard, je plonge tête baissée au cœur de cette masse, je salue des amis au passage. J'ai hâte de sortir de là. Sentir l'air frais sur mes joues, et laisser aller mes larmes.

Puis, au milieu de cette cohue, j'aperçois, au loin, dans un coin, tout au fond du foyer, un petit bout de femme, haut comme trois pommes, aux côtés d'un grand homme mince, flagada, vêtu d'un imperméable. Elle, elle tient des fleurs en tissus ; lui, un vieux toutou laid de chez Burger King je crois. Ils me sourient, me regardent, pleins de fierté, les yeux brillants. Je les reconnais. Ils sont là, pour moi. Pas besoin de choisir, je leur saute dans les bras à tous les deux.

— Maman ! Papa ? T'es fou p'pa, t'es venu…

On est allés manger une patate frite chez le Grec ouvert 24 heures pour fêter. Papa, même en pyjama sous son imperméable, faisait un effort pour avoir l'air dans son état normal et sourire. Maman s'est collée contre moi sur la banquette. On a mis du Elvis dans le mini *juke-box* au-dessus de la table, contre le mur, et on a marmonné la chanson entre deux bouchées. Personne connaissait toutes les paroles. Je me sentais soulagée. J'avais l'impression d'avoir survécu à une gigantesque tempête et d'être là, au milieu des dégâts, tout étourdie par la simple joie d'être toujours en vie.

Puis on est rentrés. Chez nous.

Notre petit appartement est un nid, et ma famille, malgré tout, un refuge.

Dormi jusqu'à sept heures du soir le lendemain. Maman a fait des nouilles. J'en ai mangé un grand bol, emmitouflée dans une couverte de laine, puis je suis retournée me coucher jusqu'à 11 heures le lendemain matin. Que tout le monde se débrouille avec ses histoires d'amour et de dépression, moi, j'ai besoin de sommeil !

En me levant, j'ai trouvé une note sur le comptoir.

*On est allés se recueillir
sur la tombe de Clint.*

*À ce soir.
Xxxxx M + P*

Il faisait très beau, alors j'ai pris mes lunettes fumées, je suis sortie sur le balcon avec une chaise pliante. J'ai lu une partie de la journée au soleil. De temps en temps, je m'arrêtais pour regarder la ville s'agiter. J'étais bien. Immobile.

Vers la fin de l'après-midi, le temps s'est rafraîchi, je suis rentrée. J'ai joué à un jeu niaiseux sur l'ordi et j'ai pris mes courriels. Deux nouveaux messages envoyés la veille : le premier de Félixe (!), le second de Yan... Hé merde ! Qu'est-ce qu'ils ont à venir me faire chier dans ma petite vie tranquille ? J'étais bien ! Je lis quand même le sujet de chacun des messages : celui de Yan est une réponse au courriel d'infos sur le concert que je lui avais écrit. Celui de Félixe, envoyé à 2 h 16 du matin, s'intitule « Hier ».

Je commence par celui qui me fait le moins peur :

Hé Fé,

Je suis pas venu hier. Fleurette ne va pas bien,
je l'ai fait rentrer à l'hôpital. Quand je suis sorti
de là, il était trop tard pour te rejoindre.

Certain que t'étais prodigieuse et que t'as fait
une gaffe mémorable du genre t'enfarger dans
tes jambes et te retrouver la tête dans un tuba.
J'aurais aimé ça être là.

Y

Ensuite, j'ouvre le courriel qui me fait peur :

J'étais là. Je t'ai vue. Mais je crois que toi,
pas. T'étais la plus belle au monde avec ton
violoncelle et ta licorne. Le son de ton
instrument m'est resté dans la tête. Il m'obsède.
Je savais pas que tu savais faire ça. J'ai pas
osé te déranger à la fin. Je suis contente de
voir que ton père va mieux.

Si je t'envoie un courriel cette nuit, c'est parce
que j'ai peur de me réveiller demain matin avec
ma grosse carapace solide, et de faire semblant
d'oublier ce que je voulais te dire. Ce que je
voulais te dire c'est : je serai là, quand tu

voudras, pour toi, pour de vrai. J'étais là.
Je suis là. Je serai là.

X Fé

_____

Je remets mes lunettes fumées, je vais dans le
garde-robe me choisir une grosse couverte de
laine qui pique, et je retourne avec mon livre sur
le balcon.

Rester immobile. Laisser les autres s'agiter
autour.

Mon père est allé se coucher très tôt. Il était
épuisé par sa journée sur le mont Royal, mais
c'était déjà incroyable qu'il ait réussi à passer
six bonnes heures loin de la maison, sans son
pyjama. J'ai fait, pour ma mère et pour moi, deux
grilled cheese et un grand pichet de thé glacé avec
des feuilles de menthe et des morceaux de gin-
gembre. On a pris tout ça, puis on s'est enfermées
dans le bureau de papa. Ça a pris quatre heures et
demie. On a fait tout le ménage, ramassé chaque
pièce de casse-tête, balayé le plancher, accroché et dépoussiéré chaque instrument. Puis, avec
une patience de moine, on s'est assises au sol, et on
a construit, morceau par morceau, tout le contour
du casse-tête en jasant.

— Jean, il a tellement été là pour nous, pour moi. C'est parce qu'il travaille comme un bœuf jour et soir que je peux avoir ma petite compagnie pouet pouet pis m'amuser avec mes t-shirts. Mais c'est fini. C'est à notre tour de prendre soin de lui. Toi, tu t'en occupes déjà en masse, et moi, je vais aller travailler un petit temps avec Miss Spandex. On s'entend bien. Elle va me faire chef d'équipe. Ça me tente. Je vais être assez bien payée. Pas autant que Jean, mais ça devrait aller pour un temps. Pis pour l'atelier, je vais juste prendre les grosses commandes, le corporatif ou les événements, les grosses *batches*, ça va payer le loyer pis les frais.

— O. K. Oui, c'est une bonne idée. Mais, papa… on dirait qu'il cherche SA voie, t'sais, mais, la musique…

— Il va trouver, fais-toi-z'en pas. Que ce soit la musique ou autre chose… j'ai l'impression qu'il sait déjà ce qu'il veut. C'est un *feeling*. On dirait qu'il a juste pas le courage de l'assumer, encore.

— Champion de casse-tête de vitesse ?

— Oh *shit*, t'imagines ?

— Se taper des tournois de casse-tête ?

— *My god*.

Quand on est allées se coucher, vers deux heures du matin, le bureau était tout propre, rangé, et papa avait un joli cadre pour être un peu plus libre, dedans.

J'ai vu mon père, si malade, guérir en un mois. Il a commencé par arrêter de fumer, comme ça, du jour au lendemain, puis, enthousiasmé par notre grand ménage, il a repris à bras-le-corps les travaux de construction de sa forêt. Il était nerveux et concentré, il faisait plusieurs allers-retours entre son bureau et la cuisine, allait se chercher du café et des biscuits, puis repartait dans son bureau. Toute la journée, il s'agitait comme ça, et le soir vers à peine 19 heures, il allait se coucher, effondré, mais satisfait de l'avancement de ses travaux. On avait plus le droit d'aller dans son bureau. Il avait affiché sur sa porte la fameuse tête de mort qui nous en informait. Mais on savait ce qu'il était en train de faire là-dedans. Il était en train, pièce par pièce, de se reconstruire. Une âme éclatée en 18 240 morceaux, ça prend tout ce temps-là pour se recoller.

Pendant ce temps-là, moi, j'ai officiellement pris un *break* de ma vie amoureuse. Pas répondu à Félixe, pas parlé à Yan. Et, étonnamment, j'ai survécu. Et, oui, je suis la preuve vivante qu'on peut vivre, et même être heureuse, sans blonde ni chum.

Puis un soir, à l'heure du souper, papa est sorti de son bureau, échevelé, hébété, et il nous a dit avec la victoire accrochée aux lèvres, presque en riant :

— J'ai fini.

Il nous a pris par la main, nous a entraînées dans le couloir, a fait r'voler sa pancarte de tête de mort, puis a ouvert la porte.

Sur la boîte du casse-tête, cette forêt semblait tellement ordinaire, kitch, et sans intérêt. Mais là, dans le bureau, elle était majestueuse, royale, luxuriante, elle prenait toute la place au sol, des milliers de teintes de vert, on sentait la mousse, on pouvait presque entendre la chute d'eau couler. C'était magnifique ! On s'est assis au beau milieu de son œuvre, tous les trois, et on s'est serrés très fort. Une blessure dans l'histoire de notre petite famille était maintenant guérie. On était bien. Ensemble.

Jusqu'à ce que…

— Il faut que je vous dise. Je suis tellement heureux de partager ça, ce moment, avec vous, mais j'ai besoin d'aller au bout de ça. Pour guérir. Je dois vous dire. Je vous aime tellement ! Mais…

Je… je vous ai menti. En fait, je me suis d'abord menti à moi-même, mais c'était pour vous, pour vous garder. J'avais peur qu'en vous disant ça… j'ai eu peur de vous perdre. Mais là, j'en peux plus. Il faut que ça sorte.

Mes jambes deviennent molles comme de la guenille, le temps s'arrête. Maman et moi, on est suspendues à ses lèvres. Elle me serre la main.

— Je peux plus vivre ici… Je veux aller vivre dans le bois. Avec vous. Je suis tanné de vivre en ville, j'ai jamais été fait pour vivre en ville. Je survis ici grâce à vous, et au mont Royal, mais là, j'en peux plus. J'ai besoin de nature, j'ai besoin de retrouver mes racines. Mauvais jeu de mots. En tout cas, je comprends que c'est soudain pour vous… prenez le temps d'y penser.

Chers parents,

Nous avons le plaisir de vous annoncer que les travaux de réfection de la toiture de la polyvalente sont enfin terminés. En effet, d'ici vendredi, les ouvriers auront achevé les retouches et le rangement de leur matériel. Ainsi, dès lundi prochain, les élèves et les professeurs pourront reprendre les cours selon l'horaire habituel.

Veuillez noter qu'aucun rattrapage pédagogique n'est prévu pour l'ensemble des élèves. Nous vous aviserons si des besoins spécifiques se présentent.

Nous tenons à nous excuser sincèrement du délai des travaux et nous vous remercions du fond du cœur pour votre patience et votre compréhension.

Sincèrement,
La direction

— Tu… Vous… Je voulais savoir, est-ce que vous faites toujours de la consultation par téléphone ? Comme pour euh… quand on a perdu quelque chose ou quelqu'un ?

— Bien sûr, chéri, je fais. Pour toi, petit pomme je fais tarif enfant, 40 $. Tu me mets ça dans la poste. Pas le chèque compris ? *Cash.* Tarif enfant, pour toi. Dans un grosse enveloppe épais, parce que le facteur, je sais pas, je *truste* pas, il louche…

— Il louche ou il est louche ?

— Oui c'est ça chéri, c'est ça.

— Bon. O. K., oui, pas de problème, je peux faire ça, merci, je…

— Alors, dis-moi, qu'est-ce que tu cherches ? Dis-le, j'ai le programme qui commence bientôt.

Bijoux ? Animal de compagnie ? Dentier ? Qu'est-
ce qui est perdu ?

— J'ai perdu… confiance, j'imagine.

— Amour ?

— Ouais. En fait, je sais même plus si je
l'aime encore. Elle m'a tellement souvent laissée
tomber. Je sais pas si c'est la bonne personne pour
moi. J'ai l'impression que je pourrais être bien,
heureuse, par moi-même, sans… Tout le bordel
de l'amour, mais…

— Et t'as cherché où ?

— Han ?

— La réponse à ton question. T'es allée où
pour le chercher ?

— Je sais pas, j'ai pas…

— Chercher le haut.

— Quoi ? Le haut ?

— La réponse à le question est : chercher
le haut…

— …

— Tu veux que je t'explique ?

— Ouais, s'il vous plaît.

— Alors, tu trouves quelque chose de haut,
de très haut. Que tu peux monter. Comme une
montagne. D'accord ?

— O. K. D'accord.

— Et là, tu vides la tête et tu forces, tu forces,
très fort avec le corps pour monter.

— O. K.

— Tu penses à rien. Tu montes, c'est tout. Rendue en haut, tu regardes. Tu vois qui tu as emmené avec toi, qui tu as porté sur ton dos, dans ton cœur, jusque-là. Qui est là, c'est la réponse. Mais il faut monter, chercher le haut.

— O. K., oui, je pense que je comprends.

— Bien sûr petit pomme tu comprends ! Tu vas voir, ça va bien marcher. Bon, allez, bye. Dis bonjour à ton mère et à ton père. Je lui ai parlé l'autre jour.

— Il va mieux !

— Je sais, chéri, tu l'as bien soigné. Tu as fait tout ce que je t'ai dit. Tu sais comment guérir les gens maintenant, c'est fantastique. Si jeune. Fantastique. Tu vois je t'avais dit, le médium, comme moi. Et je suis contente pour votre nouvelle vie dans le forêt. Personne fait plus ça, aujourd'hui. C'est complètement tordu… vraiment… faut être fou… je suis contente. Allez.

Oui, elle a raison, Moera, aller vivre dans le bois, c'est complètement débile. C'est pour ça que ma mère et mon père passent le plus clair de leur temps à s'engueuler, et à se lancer des trucs par la tête. Après l'ère de la dépression, notre appartement est entré dans l'ère de la colère. Ma mère crie avec les bras en l'air, comme une vieille Italienne, mon père fait des schémas, des graphiques, des grilles numériques, pour nous démontrer qu'il est possible de survivre – et même d'être heureux – à plus de 100 mètres d'un café ou d'une fabrique de bagels. J'avoue que j'ai des doutes…

Au moins, plus de larmes et de désespoir. Juste des hurlements. Ça va passer. Tout passe.

L'appartement est désert. Mais désert comme dans DÉSERT. Plus un objet, plus une lampe, plus un meuble, mais le fantôme de leur présence imprimé sur les murs par les contours de crasse. Il y a aussi de la poussière partout, en petites boulettes, qui roulent sur le sol au gré des courants d'air comme dans un western. Et je parle pas de l'écho.

— Yan ? Yan ?

— Fé ? T'es là ?

— Ben oui je suis là, mais toi ? T'es pas, genre, aux funérailles ?

On dirait que je le sors d'un long rêve.

— Fé… T'es là…

Je m'accote à côté de lui contre le mur en tapisserie couleur menthe de l'ancienne chambre de Fleurette. Nos paroles résonnent.

— Je sais pas, ils m'ont rien dit. Je suis juste passé pour la voir et les videurs étaient en train de terminer leur travail. Ils m'ont juste dit «est morte», mais ils savaient rien de plus. Ils voulaient pas me dire où ils envoyaient le stock, confidentialité client. Je connaissais pas sa famille, je peux pas savoir où ils l'ont enterrée, je sais rien.

— Ta mère m'a dit que t'avais dormi ici.

— Je comprends pas Fé. Elle est partie? Comme ça? J'ai même pas pu y dire bye. Les gens qu'on aime peuvent pas juste disparaître de nos vies! C'est ben trop chien, ça! Là, ici, y'a plus rien, pas une photo, pas un objet, pas un cure-dent que je peux rapporter pour me rappeler d'elle, je peux même pas aller aux funérailles, je sais rien, j'ai rien! Si ça se trouve, un jour, je vais penser que je l'ai inventée Fleurette, ou pire, je vais l'oublier!

— Pauvre toi Yan, c'est terrible, je sais pas quoi te dire... Je suis triste pour toi...

— Laisse faire, c'est pas grave... J'allais m'en aller *anyway*, ça donne rien de rester ici, est plus là. Y'a plus rien.

— Mais... minute.

— Quoi?

— Je pense à quelque chose.

— Quoi?

— Toi, tu penses que tu connais les vieux parce qu'y sont tes amis, mais moi, je CONNAIS les vieux. Chez les Aristochats, c'est un vrai repaire de ti-vieux, et je te jure qu'une madame de 92 ans, Yan, c'est un maudit écureuil !

— Un écureuil ?

— Ouaip. Pis un écureuil, c'est toujours prêt pour l'hiver. Ça a trois mille cachettes, dont certaines que même des videurs professionnels ont pas encore trouvées. Si tu veux rapporter un souvenir de ta Fleurette, on va t'en rapporter un drette icitte, aujourd'hui.

— Oublie ça, c'est vide, j'ai fait le tour.

— Mmmm, attends, je me concentre.

— Quoi ?

— C'est niaiseux mais, il paraît que j'ai des dons, que je peux sentir des affaires, que je peux trouver des trucs cachés... On va ben voir si c'est vrai.

— O. K. T'es folle, parfait...

— Attends... Concentration...

— T'es folle.

— Non, non, attends... Non, désolée, je vois rien. Tout ce que je vois, c'est la pôle du garde-robe et j'ai juste envie de m'accrocher après pour faire le singe.

J'entre dans le garde-robe pour faire rire le pauvre Yan. Je m'accroche à la tringle en faisant des bruits de singe. Yan est découragé. Et c'est là qu'en levant les yeux je remarque, pris dans le haut de la moulure intérieure du cadre de la porte du garde-robe, un petit sachet de velours noir.

— Yan, *shit*, on l'a !

J'appuie mes pieds contre les deux murs opposés pour tenir en équilibre et décrocher l'objet. Je redescends et pose le précieux trésor dans la main de Yan qui me regarde solennellement. Il ouvre délicatement le sac et en sort une petite broche en porcelaine orangée, en forme de homard. On peut y lire en minuscules lettres dorées «Old Orchard». Yan renifle la broche, puis le sachet, et les larmes lui montent aux yeux.

— Ça sent elle.

Il m'accroche par le cou, et on se serre très fort dans nos bras.

En me couchant ce soir-là, j'entends la voix de Moera dans ma tête et tout devient clair.

Chercher le haut…

Félixe,

Je t'écris du toit de mon école. Je regarde le soleil se coucher sur la ville en écoutant de la musique. C'est vraiment beau. Y'a un léger vent, mais au final il fait chaud. Je suis montée ici pour voir loin. Je voulais savoir qui je porterais avec moi, dans mon coeur, ici, jusqu'en haut. Puis voilà, la première personne que j'ai rencontrée sur

ce toit c'est moi. «Bonjour Fé. Bonjour moi.»
Hé, hé! N'empêche je suis heureuse d'être
là, debout vivante et en un seul morceau.
J'ai survécu à l'amour, à tes quatorze mille
fuites, et à la mort temporaire de mon père.
Pas mal, je trouve.

Mais si je regarde bien autour, je
comprends quand même que je suis pas
montée ici toute seule: t'es là! En fait t'es
partout! Dans mon corps, dans les rues
où on a marché, et surtout dans ce ciel
qui brille en rose et en mauve entre les
immeubles. Il te ressemble.

C'est fou, si tu pouvais voir, la nuit arrive
tout lentement et s'étend, on dirait de la
poudre noire. Il va falloir que je redescende
bientôt. Je passerai par chez toi pour
glisser cette lettre par la fente de ta porte
et j'irai me coucher.

Demain, ce sera samedi. Montréal prendra
son temps pour se lever, puis les restos
vont commencer à se remplir, les autobus vont
passer plus souvent, le Mile-End va se mettre
à sentir le charbon de bois et les bagels.

Toi, tu vas te réveiller, avec ta belle tête de lion, enfiler ton vieux pantalon de jogging, et sortir dans la rue, éblouie par le soleil, à genoux presque, jusqu'au Falco, pour t'injecter ta première shot de caféine.

Je serai là, je t'attendrai, avec un livre ou un journal, à une table près de la grande fenêtre. «Pense à me regarder.»

Tu t'assoiras devant moi, avec ton café au lait, deux sucres.

T'auras pas besoin de me dire que tu t'excuses, je le verrai dans tes yeux.

J'aurai pas besoin de te dire que je t'aime, tu le verras dans mes yeux.

J'aurai 16 ans depuis quelques minutes et ce sera presque l'été.

FIN

MERCI À :

Francis Lacoste, Karine Bellerive,
Marie-Pier Labbé, Stéphanie Durand,
Sandrine Lazure, Christine Ouin,
Sylvie Dumoulin, Martine Dumoulin,
André Dubois, Francine Noël,
Isabelle Malenfant, Karine Larocque,
Karine Sauvé, Nathalie Derome,
Mivil Deschênes, Juliette Pomerleau,
Frédéric Théoret, la famille Raplapla
(Erica, Lilie et Fé), et bien sûr,
Lou, Elio et Jules !

AMÉLIE DUMOULIN

Amélie Dumoulin est issue de la pratique théâtrale collective. Elle a co-fondé la compagnie de théâtre Joe Jack et John, et a participé à la création et l'écriture de *Quand j'étais un animal, Ce soir l'Amérique prend son bain, Go shopping* et *Mimi.* Fascinée par la parole comme matériau sonore et vivant, elle a fait une maîtrise à l'UQAM sur l'auteur contemporain Valère Novarina, travaillé comme conseillère dramaturgique sur divers projets et été co-conceptrice de deux spectacles de la compagnie Des mots d'la dynamite. *Fé M Fé* est son premier roman.

Achevé d'imprimer
en novembre deux mille dix-neuf, sur les presses
de l'imprimerie Gauvin, Gatineau, Québec